見えない世界を可視化する「哲学地図」

World View Atlas

「ポスト真実」時代を読み解く10章

河本英夫　稲垣 諭［編著］

学芸みらい社
GAKUGEI MIRAISHA

まえがき

人、物、資金、情報がグローバル化を通じて、国境を超えて自由に移動するようになると、見かけ上、世界の共有財産が増大するようにみえる。だがこのグローバル化のプロセスに対応するそれぞれの適応度をめぐって、さまざまなタイプの格差が増大し、グローバル化への対応を通じて、特定地域や地方が実質的に孤立状態となることもある。

しかもグローバル化のモードは、点と線を結ぶようなネットワーク型に限られたものではない。ゾーン全体を抑え込むような「ゾーン・グローバル化」は、多くの軋みを生み出す。グローバル化は一様ではなく、またグローバル化そのもの以上に、そうした動向への対応の仕方にも多くの分岐がある。

こうしたプロセスの推移のなかで、個々人の欲求も対応の仕方も、基本的に圧倒的に多様になるはずである。だがそれに対応する現実の姿は、集合的に両極化し、不透明な動向を次々と生み出すことがある。そこでは埋もれていた潜在的欲求が解き放たれたり、新たな小さな欲求が予想外の動向を生み出すこともある。

しかも現実性のなかに、広範に仮想現実や拡張現実が含まれてしまっている。「真実は何か」という問いや「実在とは何か」という問いが、すでに筋違いになってしまうほど局面は変わっている。伝統的な哲学の問いが、現実の変化の動向に対して、おそらくすでに狭すぎるのである。

こうしたプロセスのさなかで、世界の現実性は、どのようなものでありうるかを含めて、それをどのように捉えるかというトライアルな考察を行いたいと思う。

本書は、テーマとして、情報、出来事（事件）、生死、生の政治、性、民族、権力、暴力性、宗教（陰謀論）、環境という10の課題を取り出し、そこにどのような現実性の仕組みが関与するのかを、可能な限り発見法的に考察したものである。それはとりもなおさず、現実のなかで見えていなかった現実性を浮かび上がらせたり、新たな現実性のコード付けの仕方を考案するものとなる。

コードが的確に取り出され、普遍化可能であれば、伝統的な「カテゴリー」と同じ位置を占めることになる。世界の現実性そのものも変化し続けているのだから、かりに有効にコードを取り出すことができても、やがてすれ違ってしまうこともある。

だができることなら10年間程度の耐用年数があってほしいと願っている。現時点での変化の速度と、流れて消えていく膨大な情報の速度を勘案すると、10年の耐用年数と言っても、気の遠くなるような数字である。

題材によっては、原理論的な考察や論理的な明確化だけではなく、ジャーナリズムに近いデータ収集や、事柄の鮮明化を行っている。それはとりもなおさず、ある種の「世界情況論」に付き纏う否応のなさでもある。

本書では最も関心のある章から入り、隣接するテーマに移っていただくことができる。多くの課題を読者と共有できればと願っている。

２０２１年３月　　河本英夫

目次

異質な原理が交差し、多様性と不確実性に満ちた
出来事に直面し続ける現代。分断と対立、
感情や情報の単純化と平板化を越え、
人間社会の理念を具現化する
複数の選択肢をそなえた
プログラムによる「世界の再定式化」へ。

第Ⅰ部 人間・身体・生存の多型

「シンギュラリティの到来」(カーツワイル)、
「情報は自由になりたがっている」(ハラリ)。
デジタル技術の圧倒的進展のさなかを生きる
人間のウェルビーイング＝善き在り方を、
〈脳・身体・心をもつ生物〉〈自己物語としての生〉
という視点を軸にさぐる。

「罪を犯すアダム」と「罪を犯さないアダム」、
そして「漠然たるアダム」——。
複数の出来事が断絶や飛躍をはらんで連鎖・分岐し、
現実の行為へと収斂しながらその姿を現す歴史と、
歴史の形成場面における人間の自由とは何かを見届ける、
原理論的な考察の試み。

「非死（アモータル）」への自覚なき欲望が、加速度を増しながら浸透する現代社会。
ニーチェ（ニヒリズム）、イリッチ／フーコー（生-権力）、ハラリ（ホモ・デウス）の思考を辿り、
「テクノロジー」×「素朴で凡庸な善と悪」がもたらす人間の未来を展望する。

古代ギリシアに由来し、アガンベンが議論の基礎とした
「ゾーエー／ビオス」という生命認識。
この二分法の陥穽と共に、
相模原障害者殺傷事件の特質と
犯人の論理・心情の考察を通じて、
新型コロナ感染症禍の現代社会にひそむ
生命認識の捻れを精査する。

男女ともに理想の身体が女性になりつつある——。
この事実が意味することとは。
審美眼を備え、暴力を回避する「女という性」の
パフォーマンスが擁する可能性を
生物進化史の数々の例証を背景として展望する、
性と暴力の人類史への新たな挑戦。

第II部 共同性・ネットワーク・現実性の変容

イドラ（ベーコン）、投射の原理（フロイト）を参照軸として、吉本隆明『初期歌謡論』、中・韓における国家と民族のコンフリクトなど、民族の構造と心性が顕現する場面を検証。「現象学的な生態学的集合体」としての、民族本来の自然な姿をデッサンする。

フーコーが注視した「封印状」に溢れる、
無名な者たちの嘆願と権力の「共犯の罠」とは。
権力緒関係のゼロ度にこだまする、
偶然性と物質性、そしてエネルギーをはらんだ
「微細で下賤で無名な生」の声に耳を澄ませるフーコー、
そのパッションとロジックを読み解く。

世界で最も治安が良い社会の一つでありながら、死刑に寛容で、罪を犯した者に冷淡な日本。近代社会における暴力をめぐる枢要な命題をつぶさに検証。日本社会に浸透する自主規制と忖度、

沈黙への隠伏——その根底に流れる
「特殊な格下げ平等主義」の構造を明らかにする。

第9章 ……190

宗教的信仰の一形態である陰謀論を来るべき教育に向けて無毒化する

野村智清

世論形成において、客観的事実が、
感情や個人的な信念に訴えかけるよりも
影響力を失った現代。近代陰謀論の歴史を辿り、
《ポスト真実》の状況下で台頭するQアノンをはじめとする陰謀論を
宗教的信仰の一形態として捉え、「悪意に満ちた世界にいる」
と考える陰謀論者をその認識から解放する試み。

第10章 ……212

流れる歴史——海洋と地球温暖化

畑一成

環境保護という運動と、
その「過去」としての核軍縮。
軍縮の「皮肉な影」としての科学的発見。
政治や産業界を運動の対立項とし、
伝統的な自然観を前史とする
肌理の粗い思考では捉えられない
地球温暖化問題の諸相とは。
海洋学の歴史から見えてくる、
温暖化問題の新たな切り口を提示する。

用語集 ……232

——世界の輪郭線「World View Atlas」

河本英夫

軋みながら推移する不透明な動向、
衰退のなかを持ちこたえようとする
「世界の蠢き」の場所と在処、その感触を掴みとる——。
18のキーワードによる
「事象の世界地図=World View Atlas」。

序章 空白のスクランブル交差点

河本英夫
KAWAMOTO Hideo

1 世界を覆う予測不可能性と不確実性——コロナウイルス

世界という巨大なスクランブル交差点がある。どこからどこまでが交差点の範囲なのか見通せないほどである。歩行者用の路上通路も、すでに時代遅れになったのか、過去に書き置かれた痕跡のように霞んでいる。交通整理用の一方通行の表示は、すべて取り外されていて、どこから何が侵入してもおかしくない。周囲の高層ビル群には、最新の機器を用いた鮮やかでドギツイ点滅が溢れている。だが表示の内容は20年間ほとんど変化がない。

この交差点は予測不可能性に満ちている。巨大な交差点には、すでに夥しい得体のしれない侵入者がある。コロナウイルスと電子情報は、人間の眼には見えないかたちで交差点を縦横によぎっている。

ウイルスは、ただ生きようとして交差点内の人間の合間を行き来している。世界は人間だけが住まうところではない。あらゆる生存者は、ただ生存のために生存し続けている。生存とは、ある種の「同語反復」のことである。生き抜くことには理由は要らない。そして一切の手段をそれに従属させる。

コロナウイルスの生存戦略の副産物が、人間の感染であり発症である。ウイルスにとっては、人間社会で起きることは、自分たちの生存の末端で起きる疎遠な騒ぎなのであろう。コロナウイルスにとって、生き延びることができるのであれば、多くの他の動物たちが、生存の媒体でも良かった。だがたまたま人間が最も適合性の高い媒体だった。そしてそれがおそらく世界史に残るほどの大事件になった。

世界は、出来事のたびに新たな不確実性に直面し、新たなリスクを生み出している。それはそれぞれの事象に「隙間」があるからである。未来予測が立たないというのではない。大まかな予測は常に立てられる。だが予測は想定された結果の位置から、現在を評価する仕組みである。予測には、想定結果と現時点での評価しかなく、プロセスのさなかで、現に何が起きるかについては、ほとんど読みが利かない。これは「構造的な隙間」である。行政による朝令暮改とは、このプロセスのさなかの必死の「試行錯誤」のことである。プロセスの外で設定された予測と、プロセスのさなかの試行錯誤には、構造的な落差がある。行政の長は、プロセスのさなかにある試合中の監督のようなものだ。判断を誤れば、すべて自分の責任であり、うまくいけばメンバーの達成した成果である。

人間に対して、コロナウイルスがもたらした事象には、いくつもの奇妙な「隙間」がある。感染者の多くは、無症状である。症状のないものは、医学的には病人でも患者でもない。しかしウイルスに感染した当初は、体内でウイルスを培養し、確実に周囲に拡散させている。拡散されたウイルスは、一定頻度で周囲の人たちのなかに発症するものを生み、そのごく一部は重症化し、死に至ることもある。本人はいたって健康であるにもかかわらず、確率的に他者に危害を加える可能性をもち合わせている。これは世界内に「未必の加害者」が、夥しく存在することを意味する。ウイルスにとってみれば、無症状感染者は自分の生存のための最大の媒体でもある。

　こうした無症状感染者を隔離するためには、法の力による以外にはない。それがウイルスの「指定感染症」という法的認定である。２０２１年1月末に期限を迎えるこの法的認定は、1年間は延長することができる。おそらく延長され、やがて別の法のなかに追加で書き込まれる。

　病人でも患者でもない無症状感染者には、積極的に検査を受ける動機や理由はどこにもない。検査を受けないままの感染者を捕捉し隔離することは、よほど強い法的規制がない限り無理である。こうして他者に感染させるというリスクは、野放しになり、ウイルスは市中に蔓延した。

　無症状感染者も、当初、自分でウイルスを体内培養し、周囲に拡散させている。どの時点までウイルスを培養し続けているのか。感染後3日から1週間という推測もあれば、発症前の数日間だという予測もある。感染者間の個人差も大きそうである。1～2日だけウイルスを培養して、その後治まる人と、5日間もウイルスを培養して周囲に拡散する人とでは、まったく別人と言ってよいほどの違いが出る。それは同じ計算式で扱えないほどの違いとなる。市中に蔓延したウイルスからは一定の頻度で感染者が出現する。確率的な偶然も絡むために、感染した本人には、「なぜ自分が……」という思いとともに、「一つの運命」であるかのような印象が付き纏う。運命とはいつもいくぶんか突然、身に降りかかるものである。

　発症とは、感染者本人による「治癒の開始」のことである。発熱とは、当人がウイルスと明確な戦いを開始したシグナルである。この戦いの開始が、周囲に異変を告げ、自他ともに明確な対応へと赴かせる。この戦いを応援するのが、医療である。だが医療の介入以前に、広大な不確実性がスクランブル交差点を覆っている。有効なワクチンが開発されたとき、感染や発症の比率はおそらく十分に低下する。他方、ウイルスは蔓延したままであり、時として変異を繰り返しながら、何度か感染増大をもたらすことがありうる。それでもなおそのとき、人間はこのコロナウイルスとの共存を部分的に成立させたのである。

2――情報ネットワークのなかのウイルス

情報ネットワークのなかにもウイルスはある。正規に制御された作動以外の振る舞いをするように設計され、作為的に導入されたプログラムは、おしなべて「ウイルス」である。情報の健康維持を確保するための「セキュリティ」は、繰り返しウイルスによって浸食されている。

古典的なモデルで考えてみる。すべてが強固に守られ、一切の外圧や外的侵入から守られた金庫を考えてみる。そこにデータ化された資金と機密情報が保管されている。たとえどのように強固に防衛体制を築こうと、資金と情報を活用しようとすれば、ロックを解除する以外にはない。解除できるセキュリティは、原則、侵入できるセキュリティであり、逆に解除できなければ、二度と開けることのできない金庫と同じである。ある意味で、セキュリティとは、突破されうるためのセキュリティなのである。

かなり以前の話だが、学校や飛行場を爆破するという予告メールが送りつけられ、各県警は威力業務妨害ということで、送信元のサラリーマンたちを現行犯逮捕したことがある。発信元から実際に送信されている以上、送り主は明確に特定できる。だが当人たちには、まったく身に覚えがなかった。共通していたのは、ある誘導ウイルスにそれぞれのパソコンが感染していたことである。このウイルスに感染すると、各パソコンは定期的に掲示板を覗き、そこに書かれていることを自動的に発信してしまうのである。

このウイルスを流していた者を特定しても、自分もウイルスを送りつけられ、感染させられただけだ、自分も被害者の一人だ、という主張が成立する。情報ネット上では、最終原因（大元）を特定することはほとんど困難である。どこで変異が起き、どこでウイルスが紛れ込んだのか原理的には不明である。この事件はひととき迷宮入りなのではないかと言われた時期がある。

情報ネットワークは、無作為に開かれている。カナダのノーテル社は、繰り返しハッカー攻撃を加えられ、社内の機密情報を抜き取られ、２００９年に倒産した。このハッカー攻撃を加えたのは、中国の人民解放軍の一部であることが、現在ではほぼ判明している。また「ランサムウェア」は、各企業の商品開発データや個人情報データを盗み取り、それを暗号化して、情報を公開されたくなければ「身代金」を払えという要求を突き付けている。個人情報データが流出すれば、会社の信用にも関わる。２０２０年1月から10月までの間で、被害を受けた会社は１０００社を超えるようである。これは情報機器を活用した堂々たる「恐喝」である。情報はいくつものサーバーを経由しているために、出所を特定することは容易ではない。また国を超えれば、捜査のための法的根拠がない。情報ネットワークの活用の仕方の範囲は、あらかじめ決まってはいない。利便性のあるものは、その利便性に群がるようにビジネスチャンスは拡大している。その裏側に必然的にリスクが含まれてしまう。利便性とは、常にチャンスでありリスクでもある。

ただし情報そのものについては、イノヴェーションの幅はごく小さいものだと考えたほうが良い。たとえ5G情報系であっても、高速道路の車線が大幅に増えたようなものである。当初の華々しさに比して、瞬く間にそれに慣れてしまう。情報は、あらゆる機器に組み込まれ、指令系のようにみなされるが、この指令系はいつでも書き代えが可能である。アメリカの無人偵察機が、アフガニスタン上空から姿を消し、イランの空港に半強制的に着陸させられたことがある。情報は代替可能であり、撹乱することもでき、無効にすることもできる。ロシアとウクライナが軍事衝突したとき、ウクライナ側が打ったミサイルが情報を書き換えられ、自国内に落ちたことがある。

情報は動作系の一つの「調整部門」である。情報そのものが機器を駆動させるわけではない。情報は、作動している機器の作動の幅と方向と速度を調整しているだけである。多くの場合、情報とは作動するシステムの補助機構にしかならない。駆動系と指示系は、独立に設計され後に組み込まれるのだから、そこに隙間があり、別様に作動させることができる。

進化学者のドーキンスが、遺伝情報（ゲノム）に対置して、言語情報（ミーム）を提起していた。人間は遺伝情報によって規定されるだけではなく、言語情報という固有の領域を生み出してきたというのである。だがここにもまだ欠落があり、不足がある。身体動作とともにある情報は、ゲノムともミームとも独立のものである。それを「ソーム」（ソマトロープ＝体細胞的情報）と呼んでおきたい。ほとんどの動物が学習しているのは、このソームである。そして身体動作とともに継承されている文化伝統が、基本的な人間生活である。人間生活の大半もソームで営まれている。ソームにもミームの関与はあるが、だが視覚や聴覚に連動するものよりは、むしろ触覚性の情報が連動する。情報機器では、このソームの領域が、ごっそりと抜け落ちてしまう。ソームは、駆動系と情報系が相互に連動しながら、それぞれ再組織化され高度になっていく仕組みである。駆動系と情報系に内的に連動しているのが、まさに触覚性情報だったのである。

駆動系そのものの革新は、たとえば水素エネルギーの汎用化であり、二酸化炭素を吸着して物質の一部に固定してしまうような物性の開発である。こうした現実性そのものの幅を変え、現実性のあり方を変えてしまうような革新からみれば、情報とは、どこまでも一種の付け足しであり、エキストラである。ただし個々人からみれば、参入のための敷居が極端に低い。手元のスマホで、次の瞬間には一人前に参入できる。

3 フェイクと平板化

情報ネットワークは、個々人にとっても選択肢を広げるツールを提供している。多くの情報を短時間で取り入れることができる。個々人にとっては、無作為に活用でき、活用の仕方には、規則性のようなものは見当たらない。多くの個々人にとって、自分の場所を確保するまたとない選択肢が提供されている。しかし情報ネットワークは、あらかじめ「機能化」している。しかも参入自由、退出自由である。この機能化したシステムには、規則はないが、全般的な「傾向」のようなものはある。

一つの傾向は、発信された情報に誰も応答反応しなければ、その発信情報は、ネットワーク内の「ゴミ」扱いになることである。発信者からすれば、誰も見向きもしなければ、おそらくとても「寂しい」

はずである。そのため情報発信には、常に多くの人に注目され、反応してもらう方向でのバイアスがかかる。そうなれば、このバイアスに反応する人たちも生じ、情報は条件反射の反復となる。虚偽やフェイクは、実質的にお構いなしである。そこで展開されるのは、ほとんど見飽きた光景である。

アメリカのトランプ前大統領がコロナウイルスに感染し、医師団の徹底した治療を受けて早期に退院した時、中国外務省の管制報道官である華春瑩が、トランプは「地位を利用した特権的な治療を受けて退院した」と述べたところ、直後からウェイボーでは、共産党幹部も特権的治療を受けているという発信が続いた。そこで華春瑩はあわてて「アメリカ国民全員が、トランプが受けたような治療を受けられることを願っている」と書き込んだところ、ただちに「中国人民もみな共産党幹部と同じような治療を受けたい」という発信が続いた。形の上では、掛け合い漫才である。このレベルの言葉が行き交うのである。言葉の掛け合いであり、言葉が反射的に重なり合う「線型」の世界である。インターネット情報は、自分自身に回帰する「線型ナルシス・システム」である。

しかも発信のなかには、憎悪や恨みや怒りを煽るようなものも含まれており、これが最も反応を引き起こし、注目されやすい。このタイプの情報に対しては、繰り返し同調発信が続き、社会に分断と対立が増大することがある。ミャンマー国内ではスマホが普及しておらず、フェイスブックだけが広まっている。このフェイスブックを使って、ミャンマー国内の少数民族を排撃する投稿が夥しいほど流れたことがあり、現実にいくつもの襲撃が行われた。フェイスブックの元ＣＥＯも、こうした差別情報に何割かの責任があると述べている。責任はあってもそれへの対処方法は、限られたものである。情報にも、「情報ワクチン」が必要だという思いも生じる。

年がら年中このレベルの情報に触れていれば、細やかな言語表現や複雑な言語表現に直面しても、おのずと傍らを通り過ぎてしまうだけになる。もう現実性の機微や詳細が分からない。というのも情報は反応を引き起こす方向へバイアスがかかり、このバイアスは次々と反復拡大されるからである。

もう一つの傾向は、情報は多くの内容が含まれているようにみえながら、それと同時に個々人の経験がごく平板化してしまうことである。多くの情報を知っているようにみえながら、何も分からない人たちが出現する。たとえば「重さ」という言葉で考えてみる。今日は身体が重い、今日は身体が軽い等々の日常の体験のなかに、すでに重さの経験がある。エレベータに乗り、上昇するエレベータが止まるさいには、体重はいくぶんか軽くなる。これも日常の体験的現実である。窓から曲線を描いて落下するものもあれば、棚から落ちる牡丹餅のように直線的に落ちる物もあり、煙のように上昇する物もある。強い風に吹き付けられれば、前方からやってくる風に、体表面積に比例した重さが出現する。地球に引っ張られる重力質量と、運動することで生じる慣性質量は、別々に定式化されており、この二つの重さが物理学でうまく統合されているのかどうかもよく分からない。

重さという言葉には、事象のマトリックスが対応する。だがこうした語と事象のマトリックスが対応する事態を、情報オンラインで伝えることは、かなり難しい。言葉や情報は、何かについての言葉や情報であるはずだが、その何かに触れ、経験が奥行きや深さを獲得する以前に、次の言葉や情報がやってくる。こうなると少しでも複雑なことは、もはや伝わらなくなる。おそらく情報ネットワークの経験は、無数の選択肢に開かれていながら、実際には同時に機能化し、平板化していく。

4　異質なシステムと原理の交差

こうした社会的現実の変容のなかで、伝統的な近代の価値規範である「平等」や「公正」や「寛容」に含まれる内実への感性も、いやおうなく変容していく。世界というスクランブル交差点では、可能な限り「多様性」が許容され、多くの価値が対等に承認されるべきであるという、近代的な生活規範がある。

中東からの夥しい難民が流れ込んだヨーロッパでは、難民は内戦による犠牲者なのだから、受け入れるべきであるという基本論調がある。各国国内では、それによって自分の生活が圧迫されていると感じている少なくない集合体がある。そのとき「寛容」という価値規範は、建前として守るとしても、それによって圧迫を感じる現実性を抱えた者にとっては、実質的には維持されようがない。このとき「寛容」そのものへの懐疑が始まる。そこにはかなりの振れ幅がある。

「公正」や「寛容」という社会規範は、本当に有効に機能しているのか。それは社会規範という名のもとの逆不利益や苦痛の受容ではないのか。寛容とは、美名のもとの半強制ではないのか。さらには「不寛容」で何が悪いのかという露骨な主張が飛び交うことになる。寛容には、基調として「おおらかさ」が伴わなければならない。我慢して確保される寛容は、すでに語義矛盾であり、無理がきている。「公正」も「寛容」もそれらが形式的に実行されれば、内部に矛盾が含まれ、軋みが生じる建付けになっている。他者の許容が、単純に自己の忍耐によって償われるわけではないからである。

そこでは原則的な建前の大義と、個々の生活感との間に乖離が生じ、この乖離が表面化すれば、立場の主張内容は、両極化したものとなる。価値規範は、いつも背伸びして「理念」として設定されてきた。

だが理念そのものに懐疑が向けられると、それぞれの立場は必然的に両極化する。「平等」「公正」「寛容」という価値規範は、そのつどの歴史的条件と社会的現実のなかで、プログラム化され、具体化されるはずのものである。それらの価値規範は、あらかじめ神棚の上に祀られてあるようなものではない。自由という価値規範は、人間の歴史のなかで長い戦いを通じて獲得され、確保されてきたものである。それに比べて、「平等」「公正」「寛容」は、いつの時代にも、なお調整をめぐる戦いが必要な理念である。

理念には、基準はあるが、内部に選択肢がない。そこで内部に選択肢を含んだプログラムの設計こそ、課題となる。理念をめぐって同意、不同意を競うことは、過度の分断と対立を生む。その現実の姿が両極化である。そのときすでに、争点が取り違えられている。世界は情勢として複雑になりながら、感性も感情も逆に単純化する。

世界というスクランブル交差点では、常に異質な原理をもって交差点を行き交うものが出現する。たとえば現在の中国もその一つである。中国の行っていることは、「一つのシステムの実験」かと思えるほどである。ながらく欧米社会は、中国も豊かになれば、やがて民主国家に近づくだろうという希望をこめたまなざしで見守り続けてきた。だがこのシステムは、おそらくそうはならない。

チャイナ・システムにとって、国際的な約束事は、相手国から出されたときには、一つの「提案」に留まり、自分の主張は大義なのである。尖閣諸島は、歴史的にも国際法的にも日本の領土だという日本側の主張は、日本からの「提案」である。そして中国には、「自分のことは自分で決める」という確固たる立場がある。それが「核心的利益」と呼ばれている。そしてそれを偉大なる中華民族の復興と語り、中華民族の夢だとする物語の一部に仕上げていく。中国は、立場上の非対称性を、自分の利益に組み替える仕組みを備えたシステムを作り上げたのである。そのため世界のいたるところで非対称性を生み出していく。情報ネットワークでも、グーグルやツイッターは基本的に禁止し、国家（共産党）に必要で無難な情報だけが通過するスリット（監視装置）を作り上げている。中国は、「公正」や「互恵」の意味を、別様に活用しはじめたのである。

チャイナ・システムは、世界中に経済的投資を行い、国内の過剰生産を国際的な投資へと展開する。中国GDPの3～4割が国内外の投資に依存していると言われている。そしてそれぞれの国で、「Win-Win」の関係だと説明する。これが中国式の「公正」であり、「互恵」である。相手国の発展に見合うように投資が行われるのではない。むしろ中国の実効性が拡大されるように投資は行われている。そのため、「Win-Win」とは、中国が二度勝つことに限りなく近づいていく。

この異質なシステムに有効に対応するプログラムを、世界はまだ手にしているようにはみえない。経済的には、サプライチェーンを通じて、中国はいたるところでカップリングをすでに成立させている。レアアースでみられるようにサプライチェーンの上流を抑えるといういつもの発想で、中国はカップリングを形成している。

5―世界を再定式化する

世界は、そのつど出現する出来事によって、新たな不確実性に直面する。こうしたなかで、世界の各領域、各事象の現実を取り上げ、世界を再度定式化する企てを行っておきたいと願っている。だが多くの場合、世界の再定式化の断片しか摑むことができない。それはそもそも世界が多元的なネットワークだからである。たとえそれぞれのネットワークが規則に満ちているものであっても、複合化すれば規則は散逸し、多くの偶然、隙間、隔たりを生む。たとえば水晶の結晶は、たとえそこに物理的規則が貫いていても、それぞれの柱はでこぼこであり、傾斜もそれぞれ異なっている。ここにさらに下方に向かう柱や円を描く柱を付け加え、結晶そのものを半透明化してみる。こうした半透明の結晶の似姿が、世界という空白のスクランブル交差点である。

そうした断片を組み合わせるようにして、世界の再定式化を試みることはできる。本書では情報、出来事、生死、性、民族、権力、暴力性、宗教、環境等々のテーマをそれぞれに多元化する領域として考察している。事象に応じて、切り口や論じ方に当惑するほどの多様性が出現してしまうことも、現時点ではやむをえない。原理論的に考察するテーマからジャーナリズムに近いテーマまで、異物の同居のような姿となる。そうした多元的な要素から現状の世界を捉えることを試みようとするものである。それが本書の課題であり、目標でもある。

第I部

人間・身体・生存の多型

第1章 情報とウェルビーイング

信原幸弘
NOBUHARA Yukihiro

1 ウェルビーイング(*)にはどんな情報が必要か

情報社会になって久しい。スマホやパソコンで検索すれば、たいていの情報はすぐ手に入る。図書館を駆け巡り、いろいろな人から話を聞いて、ようやく必要な情報に辿り着いていたのは、もう遠い昔だ。しかし、こんなに情報が便利に手に入るようになったからといって、はたして私たちの生は善くなったと言えるだろうか。

今はメールのような電子媒体で情報をやりとりするのが主であるが、これを昔のように郵便や電話で行うのは、その情報の量の膨大さゆえに実質的に不可能であろう。私たちは電子媒体によって膨大な情報をやりとりし、それによって活動の幅と量を飛躍的に拡大させてきた。しかし、その一方で、私たちはメールの処理に追われ、返事を書くことはおろか、きちんと読むことさえ覚束ない。メールから脱却したいと思っても、そんなことをすれば、社会から弾き出されてしまう。暗黙のメール強制社会だ。こんなことなら、メールのない時代のほうが善かったのではないかと、古き善き時代への郷愁が芽生えてくる。

情報は私たちの生を善くするだろうか。私たちのウェルビーイングにとって情報はどんな働きをするのだろうか。その答えはおそらく、当然のことながら、私たちの生を善くする情報もあれば、悪くする情報もあるということであろう。では、どんな情報が私たちの生を善くし、どんな情報が悪くするのだろうか。

この問題を考察するために、まず情報とは何かを簡単に確認しておこう。情報とは、ひと言で言えば、不確定性を減らすものである（甘利、２０１１）。私は花火大会が開催されるのかどうかを知らない。そこに「花火大会は中止」との報せが届けば、花火大会の開催に関する不確定性が解消される。この報せは私にとって不確定性を減らしてくれる情報である。

情報は必ずしも言葉や記号といった形態をとるわけではない。森羅万象、どのようなものであれ、情報になりうる。夕焼けが明日の晴天と相関関係があるなら、夕焼けであることを知れば、明日が晴天かどうかの不確定性は減るだろう。したがって、夕焼けは明日の晴天に関する情報となりうる。

しかし、事物の間に単に相関関係があるというだけでは、情報は成立しない。もしそれで情報が成立するなら、生物が誕生する以前でも、世界は情報で満ち溢れていることになろう。ある事物Ａが別の事物Ｂの情報となるためには、ＡとＢの間に相関関係があることに加えて、その相関関係に基づいてＡをＢの情報として利用する者がいなくてはならない。つまり、Ａを知ることでＢに関する不確定性を減らすような主体が存在しなければならない。情報には情報の利用者が不可欠なのである。

一般に、情報は生産され、伝達され、処理され、消費（つまり利用）される。この点で情報は物品と同じである。情報の特徴は、それが不確定性を減じるために消費されるという点にある。

人間は情報社会になるはるか以前から、情報を盛んに取り扱ってきた。人間と他の動物との違いは情報の取扱い量の差にあるとさえ言えよう。この差を決定づけているのはもちろん言語である。人間は言語をもつことにより、お互いの間で膨大な量の情報をやりとりできるようになった。

しかし、情報社会になると、人間が取り扱う情報に根本的に新たな特徴が付け加わることになる。それは速さである。電子情報が生まれ、コンピュータがそれを処理するようになると、情報はその生産、伝達、処理、消費のいずれにおいても圧倒的な速さを獲得することになった。今や情報は瞬時に世界中を駆け巡り、人間の手作業では何百年もかかるような処理が一瞬にして行われる。もちろん情報社会になる前にも、文字、印刷機、ラジオ、テレビなど、情報に関するいくつもの革新的な変化が起こったが、コンピュータによる電子情報の処理はそれらと比較にならないほど大きな変化だと言えよう。

情報は不確定性を減らすものであり、今日の情報はその生産、伝達、処理、消費のいずれの点においても圧倒的に速いという特徴をもつ。このような情報に恵まれた私たちは以前よりもはるかに不確定性の少ない世界に生きることが可能になっている。そうだとすれば、私たちの生は当然、総体的に大いに善くなっていていいはずだ。しかし、これはそれほど単純な話ではないようである。私たちのウェルビーイングには多くの要因が関係し、それぞれの要因がどんな働きをするかも、その時々の状況によって変わってくるように思われる。

2 自己物語とウェルビーイング

私たちに関係するものは、どんなものであれ、多少なりとも私たちのウェルビーイングに関係してくる。朝、淹れたてのコーヒーを飲んで、その美味を楽しむだけでも、私たちの生はほんの少し善くなるだろう。逆に、そのコーヒーがたまたま不味かったりすると、生は少し悪くなろう。もちろん、人生の一大事もあり、たとえば、めでたく結婚ということになれば、生は大いに善くなるだろうし、逆に破談になれば、大いに悪くなるだろう。

しかし、個々の出来事が私たちのウェルビーイングに影響を与えるといっても、それぞれの出来事はそれ単独でウェルビーイングに影響を与えるわけではない。それらはその時々の状況のもとで影響を与える。コーヒーの美味を楽しんだといっても、胃を悪くしていてコーヒーのような刺激物は避けたほうがよいような状況なら、美味の享受はウェルビーイングを増すというより、むしろ減らすだろう。

経験機械の思考実験とよばれるものがある（ノージック、1992）。経験機械を脳に接続すると、機械が脳を刺激して、どんな経験でも味わわせてくれる。仕事の成功、快適なスポーツ、孤独のグルメなど、どんな快い経験もすべてお望み次第だ。では、このような快い経験に満たされて生きることができれば、それで善い生だと言えるだろうか。おそらく、多くの人がそうではないと思うだろう。それはやはり現実が経験と異なるからである。いくら快い経験でも、現実がそれに対応しなければ、ウェルビーイングに貢献しないだろう。現実を正しく反映する真正な経験であってはじめて、ウェルビーイングに貢献すると言えるのである。

結局、どの出来事がどれくらい私たちのウェルビーイングに貢献するかは、その出来事単独ではなく、それを取り巻く状況をも考慮に入れて評価しなければならない。そしてこのことは、結局のところ、私たちの人生全体を考慮に入れて評価する必要があることを意味するだろう。というのも、その時々の状況はその前後を含めたより大きな状況の一部であり、それゆえ結局のところ、人生全体という包括的な状況の一部だからである。また、私たちは、過去を振り返り、未来を展望して、自分の人生の物語を紡ぎ出しつつ、今を生きる存在である。それゆえ、人生は自己物語である(信原、2017)。そうだとすれば、自分の人生全体に照らして出来事のウェルビーイングへの貢献を評価するということは、自分の自己物語に照らしてそれを評価することだと言うこともできよう。

情報がウェルビーイングにどう貢献するかも、自己物語に照らして評価される。現在のネット社会では、個人情報の流出が著しい。ネットでちょっと検索しただけでも、自分の好みが割り出され、好みに合った商品の広告がネットで送られてくる。ターゲティング広告である。関心のある本の広告が送られてくると、「何かいい本はないかな」と探し回る手間が省けて、一見、便利そうである。たとえ広告に促されるままに本を買い続けても、それでとくに問題が起こらなければ、たしかに便利だろう。しかし、たいていの場合、買わなくてもいい本を買ってしまったり、買うべき本を買わなかったりする。つまり、自分の意志で買っているというよりも、結局は、自分の意志を操作されているのであり、自分の好みを知られることで自律性を侵害されているのだ。この自己物語に照らして評価すれば、ターゲティング広告は私のウェルビーイングを大いに損なうだろう。

プライバシーが重要なのは、主として自律性を侵害されないためである。個人情報を誰かに握られると、その人に何らかの仕方で支配される危険性が高まる。自分が共感する意見しかやってこないフィルターバブルの状態は、反感を覚える不愉快な考えに接しなくてすむから、一見、気持ちよさそうだが、実際は多様な意見を参照して自分でものを考えるという思考の自律性を侵されている。自己物語の全体から言えば、それはやはりウェルビーイングを損なっていると言えよう。

もっとも、プライベートな情報を握られることが常にウェルビーイングを損ねるわけではない。付き合い始めたばかりの恋人なら、むしろプライベートなことを大いに知ってもらって、自分のことを深く理解してほしいと思うだろう。ここでは、自律性を侵害される恐れはない。恋人どうしという状況のもとでなら、プライベートな情報のやりとりも、ふつう、お互いのウェルビーイングを高める。ウェルビーイングにどう影響するかは、やはり状況次第なのである。

3――物語を理解しないAI

情報がウェルビーイングにどう貢献するかはその時々の状況に相対的であり、究極的には自己物語という包括的な状況に相対的である。したがって、AI(人工知能)が私たちのウェルビーイングを高めるような情報を与えてくれるとすれば、AIは私たちの自己物語を理解できなければならないだろう。現在の情報社会では、ほとんどどんな情報でも手に入るが、その反面、情報が多すぎて、自分に必要な情報を選び出すのは至難の業である。秘書AIのようなものができて、必要な情報を必要な時に提供してくれたら、どんなに助かることだろう。しかし、秘書AIが本当に私たちの役に立つためには、人間の秘書のように、私たちの自己物語を、あるいは少なくともその一部を、きちんと理解できなければならないだろう。

現在のＡＩは、残念ながら、物語の理解が苦手である。定型的な文、すなわち、どのような状況でも同じことを意味する文なら、ＡＩもそれなりにうまく扱える。「不要です」という文がどんな状況でも不要であることを意味するなら、ＡＩは相手が「不要です」と言えば、いつも用意をしないようにすることで、その文に適切に対処できるだろう。しかし、相手が遠慮して「不要です」と言う場合には、用意をしなければならないとすれば、ＡＩは相手が「不要です」と言ったとき、状況によって用意をしたり、用意をしなかったりしなければならない。ＡＩはこのように意味が状況によって変わる文をうまく扱うのが苦手なのである（川添、２０１７）。

物語は状況依存的な意味をもつ文からなっている。「太郎が次郎のケーキを食べてしまった。次郎は泣きながら、母親に訴えにいった」。この小さな物語でさえ、そこに想定される状況から文の意味が規定される。しかも、一方の文が他方の文の状況になるという面もあるから、文の意味は文どうしで互いに規定し合いもする。物語の文は述べられたことの背景となる状況および文どうしの相互関係の状況に依存するような意味をもつのである。

ＡＩはこのような状況依存性を把握するのが得意でない。状況依存性を把握するには、そもそも状況を把握しなければならないが、それがなかなか難物である。人間でも、自分の置かれた状況をいつも的確に把握できるとは限らない。謝罪すべき状況なのに、相手に非があると思ってしまったりする。状況は無数に解釈可能であり、そのなかから適切な解釈をみつけだすことはときに困難を極める。

状況依存性の把握がＡＩにとってとくに難しいことは、ＡＩがフレーム問題に苦しめられることにも現れている（デネット、１９８７）。課題を遂行するには、その課題に関連する事柄をきちんと考慮しなければならない。しかし、何が関連するかはその場の状況によって異なる。台所からリビングへコーヒーを運ぶという課題にとって、ふつうの状況なら、雨が降っているかどうかは関係しないが、雨漏りがするようなボロ屋なら、関係してくる。関連性は状況依存的である。そのような関連性を素早く効率的に捉えるにはどうすればよいかというのがフレーム問題であるが、ＡＩはこの問題になかなかうまく対処できないのである。

状況依存性はたしかに厄介である。それは物事のあり方を極度に複雑にする。すべての物事が互いに独立で、それぞれの原理に従って一定のあり方をしているにすぎないとすれば、多くの物事からなる複合的な事象も、結局は各要素の独立したあり方を単に足し合わせたものにすぎなくなる。しかし、物事の間に依存関係があり、物事どうしがお互いの状況となってそのあり方を規定し合うとすれば、複合的な事象は各要素のあり方を単に足し合わせたものにならず、各要素のあり方も他の要素のあり方から独立したものにならない。全体は要素の集まりに還元できず、要素も全体から切り離せない。物事は実際、多くの場合、このような全体論的なあり方をしており、原子論的なあり方はまれである。物事の把握が困難なのも、それが全体論的なあり方をしていることに由来する。

ＡＩは物事の状況依存性・全体論性を把握するのが得意ではない。ＡＩが物語を理解できないのも、それに起因する。ＡＩが私たちの自己物語を理解できないとすれば、私たちのウェルビーイングを高めるような情報を提供してくれる秘書ＡＩも夢のまた夢であろう。

4—物語自己とデジタル自己

私たちは自己物語を生きる存在である。自分を主人公とする一人称の物語を紡ぎ出しながら、自身の一つひとつの経験や行為に物語的意味を付与しつつ、生をやりくりする。ここには、一つの物語によってその同一性が規定される自己、すなわち「物語自己」というものが想定できる。物語自己は同じ物語が続く限り、同じ自己であり続けるが、別の物語に変わると、もはや同じ自己ではなくなる。

太郎は「働かざる者、食うべからず」が信条で、人間の価値は生産性で決まると堅く信じていた。自分より生産性の高い者には媚びへつらい、低い者は見下した。しかし、あるとき、うつろな瞳でじっと見つめる難民の子を見たとき、ハッとした。どんな者にも人間として等しい価値がある。人として生まれた以上、尊厳ある生を送る権利がある。その後、太郎の人生は大きく変わった。どんな人も尊敬し、人間の尊厳を踏みにじるいかなる行為にも断固として立ち向かっていった。

太郎の自己物語が生産性至上主義から尊厳至上主義に転換したとき、その物語は別の物語に変化している。したがって、太郎の物語自己も別な自己になる。太郎は生まれ変わったのであり、それまでの自己から新たな自己になったのである。もちろん、このとき、太郎が同じ人でなくなるというわけではない。哲学で長らく論じられてきた「人格の同一性」の問題は「昨日の私と今日の私はなぜ同じ人だと言えるのか」、「同じ人だというのはどういうことか」を問うが、そこでは、自己物語が変わったからといって、別の人になるとはみなされない。太郎が生産性至上主義の物語を生きていた時に犯した罪は、彼が尊厳至上主義の物語を生きるようになったからといって消えるわけではない。太郎は罪を犯したかつての太郎と同じ人であり、その罪を負い続ける。しかし、人格の同一性という意味で同じ人であり続けつつも、太郎は物語自己としては別の自己になったのである。

私たちは物語自己として自己物語を生きる。しかし、物語を理解しないAIは私たちを物語自己として扱わない。その代わり「デジタル自己」として扱う。ネットには私たち個々人の行動履歴のデータが溢れており、市中の監視カメラ、銀行、市役所、病院などにも個人のデータがある。AIはアクセスできる膨大な個人データからプロファイリングを行い、その人がどういう人かを特定する。それがデジタル自己であり、その人に当てはめられる諸々のタイプからなる。たとえば、ある人は「53歳」、「男」、「図書館員」、「疑い深い」、「甘党」、「浪費好き」などのタイプからなるデジタル自己として特定される。各タイプはAIがアクセスできるデータから割り出されたものであり、必ずしも現実のタイプと合致しているわけではないが、AIにはそれらのタイプをもつ人として扱われる。また、新たな行動履歴が付け加わるたびにタイプは更新され、それゆえデジタル自己は刻一刻と書き換えられていく。ある時に「男」だとされても、その後、女性的な呟きや購買を続ければ、「女」に変更されるだろう（チェニー＝リッポルド、2018）。

ここで、私たちのウェルビーイングに最も深刻な影響を及ぼすのは、デジタル自己が単なるタイプの集まりにすぎないという点である。そのようなタイプの集まりをもとにして紡ぎ出される物語ではなく、ただただタイプの集まりにすぎない。物語を理解する人間なら、そのようなタイプの集まりを眼にすれば、そこから自ずと何がしかの物語が立ち上がってくるであろうが、物語を理解しないAIにおいては、それはタイプの集まりに留まる。私たちはAIによって物語自己としてではなく、デジタル自己として扱われるのである。

しかし、それでも、ＡＩは私たちに対してそれなりに有用な働きをする。ＡＩは特定したデジタル自己に基づいて、ターゲティング広告を行い、経済活動を大いに活性化する。いずれは、病気の診断、貸し付けの審査、人事の採用、犯罪の予防、裁判の判決なども行うようになるだろう。これらについては、おそらくタイプの集まりにすぎないデジタル自己からでも、十分高い精度で結果を出せるだろう。これはタイプの集まりから一定のタイプ（「癌」、「貸付不可」、「採用」、など）を導き出す操作であるが、それでも、タイプの集まりからいったん物語自己を紡ぎ出して、そこから結果を導き出すのに匹敵するような（時にはそれを上回るような）精度で結果を出せるだろう。そうであれば、私たちは自分が物語自己として扱われなくても、その結果にまずまず満足できるだろう。実際、人間の医師や銀行員、裁判官であっても、私たちを物語自己として扱ってくれるとはかぎらない。単なるタイプの集まりと見て、そこから判断を下しているにすぎないかもしれない。そうだとすれば、ＡＩが人間と同じ精度で、あるいは時には人間を上回る精度で判断を行うのであれば、それでかまわないということになろう。

ＡＩが医療や人事などにおいて高い精度で個人に関する判断を行うとすれば、それは私たちのウェルビーイングをそれなりに高めるだろう。しかし、そうだとしても、物語自己として扱われることで得られるウェルビーイングは、あくまでもＡＩからは得られない。むしろＡＩはそのようなウェルビーイングが私たちにとってどれほど重要かを忘却させ、人間どうしがお互いを単なるタイプの集まりとして扱うようになることすら促進しかねない。ＡＩが私たちをもっぱらデジタル自己として扱うことには、私たちのウェルビーイングに関して深刻な問題が潜んでいるのである。

5　フェイクニュース

情報は信頼性が命であるように思われる。情報が不確定性を減らし、行動を成功に導くのは、あくまでも情報が正しい場合に限られる。誤った情報は虚偽の確定性を私たちに信じ込ませ、行動を失敗に導く。そうだとすれば、当然、誤った情報は排除されてごく少数になり、正しい情報が圧倒的に多数になるはずだと考えられよう。

ところが、今の世の中には、ネットを中心にフェイクニュースが溢れている。なぜ誤った情報がかくも多く、かくも拡散するのか。人々が情報の誤りに気づかないのか。そんなことはあるまい。人々はそこまで愚かではないだろう。むしろ誤った情報だと人々が知っているからこそ、そのような情報は大量に生産され、大量に消費されるようにすらみえる。どうしてこのような、情報の本性に反するようなことが、頻繁に生じるのだろうか。

誤った情報でも、それに基づいて行動しさえしなければ、それほど実害はない。「マスクをしなくても感染は広がらない」という誤った情報が流れていても、人々がきちんとマスクをしていれば、たいした害はない。たとえ人々がその誤った情報を信じてしまったとしても、それでも念のためにマスクを着用し続けるならば、それほど害は大きくならない。問題は誤った情報を信じるかどうかではなく、誤った情報に基づいて行動するかどうかである。もちろん、私たちは何らかの行動をするとき、それに関連する情報に基づいて行動するから、誤った情報を正しいと信じてしまうと、ふつう行動が失敗する可能性が高まる。しかし、ある種の誤った情報については、たとえ「そうだ、その通り」と共鳴しても、それに基づいて行動することがないというのであれば、さしたる実害は生じない。

フェイクニュースは多くの人にとってそのような種類の情報であるように思われる。ほとんどの人はフェイクニュースに基づいて行動することはない。たとえフェイクニュースを信じたとしても、行動に関係させない程度の「軽い」感じで信じるにすぎない。しかし、そうだとすれば、そのような情報にはたして情報としての意味があるのだろうか。情報は信頼性が命だということは、情報がその正しさによって行動を成功に導くということが情報の命だということであろう。情報はただ正しいというだけでは意味がない。情報に依拠した行動が成功を収めてはじめて意味をもつ。そうだとすれば、そもそも行動に関係させないような情報など、何の意味もないのではないだろうか。

今日、フェイクニュースは大量に生産され、大量に消費されているが、人々はいったいそれをどのように消費しているのだろうか。行動に関係させるという通常の仕方でないとすれば、どのような仕方で消費しているのだろうか。それはおそらく「娯楽」であろう。フェイクニュースは面白ければよい。真かどうかはたいした問題ではなく、面白いかどうかが問題だ。人々はフェイクニュースを行動に役立てるための情報としてではなく、面白さを享受するための情報として消費している。

一般に、面白さの享受は私たちのウェルビーイングに貢献する。小説、映画、お笑いなど、娯楽は多岐にわたるが、私たちの自己物語に何か特別な事情でもない限り、娯楽は私たちの人生に潤いを与えて、ウェルビーイングを高めてくれる。しかし、フェイクニュースを娯楽として消費することは、たとえそれが面白さを味わわせてくれるとしても、はたして私たちのウェルビーイングを高めるだろうか。いや、誤った情報ではなく、たとえ正しい情報であったとしても、情報を娯楽として消費することは、私たちのウェルビーイングを向上させるのだろうか。

情報は不確定性を減らして行動を成功に導くために消費されるべきものである。したがって、情報を面白さの享受のために消費することは、情報の本来のあり方に反している。実際、情報を娯楽として消費する人は情報の真偽をあまり気にかけていないだろう。あるいは、気にかけていても、誤った情報をあえて真だとみなすことで、単なるフィクションからは得られないような危うい面白さを味わおうとするだろう。いずれにせよ、情報を娯楽として消費する人は、情報を情報として真摯に受け止めていない。したがって、娯楽として情報を消費することは、情報の欺瞞的な利用を孕んでいる。つまり、真正性が欠如しているのである。そうだとすれば、情報の娯楽的な消費は結局のところ、私たちのウェルビーイングを高めるどころか、むしろ損なうであろう。

6— 情報のウェルビーイング

情報にはアナログ情報とデジタル情報がある。情報社会で猛威を振るっているのは、もちろんデジタル情報である。アナログ情報は連続性によって定義され、脳や身体のような生物的な媒体（バイオメディア）における情報はアナログである。一方、デジタル情報は離散性によって定義され、コンピュータが処理する電子的な媒体での情報はデジタルである。私たちは今日、生物として相変わらずアナログ情報を使って脳や身体の生命活動を行っているが、その一方で、コンピュータによって処理されるデジタル情報を使って画期的な情報社会を成立させている。

しかし、コンピュータの凄まじい発達によって、やがてＡＩが人間の知能を上回る時点、すなわちシンギュラリティがやってくると言われる（カーツワイル、２００７）。もしそうなれば、人間はＡＩに仕事を奪われて、生きていけなくなるかもしれない。このようなディストピアの可能性を前にして、時に人間の生き延びる方途として、電脳空間へのマインド・アップローディングが語られる。自分の記憶、知識、目標など、心の内容をすべて電子媒体でのデジタル情報に変換し、それを電脳空間にアップロードして、デジタル情報の集合体として生き延びていこうというわけである。

はたしてこのような仕方で人間は生き延びていくことができるだろうか。たしかにＡＩが電子媒体のデジタル情報を駆使して人間を上回る知能を獲得した暁には、人間が生物媒体のアナログ情報を用いて脳や身体を活動させて生きていくという効率の悪い生存様式は、淘汰されてしまうことになるかもしれない。しかし、電脳空間に心をアップロードしたからといって、はたして私たちは生き延びていけるのだろうか。

ここで注意すべきなのは、私たちの心は現在、脳と身体によって実現されており、それゆえその心の内容は生物媒体のアナログ情報からなるということである。そうすると、アップローディングのさいに心の内容を電子媒体のデジタル情報に変換するということは、生物媒体のアナログ情報をそのようなデジタル情報に変換するということである。たしかに音楽ＣＤが示すように、デジタル情報は限りなく高い精度でアナログ情報をシミュレートすることができるから、そのような変換を行っても、重要な情報が失われるということはないであろう。しかし、生物媒体のアナログ情報を変換したデジタル情報は元の情報の生物的アナログ性をいわばその「名残」として引きずっている。アップロードされた心はこのような名残を留めたデジタル情報の集合体である。そのようなものがはたして電脳空間で生き延びていけるだろうか。

情報は自由になりたがっていると言われる（ハラリ、2018）。電脳空間は電子媒体のデジタル情報がAIのアルゴリズムによって超高速に処理される空間である。このような電脳空間の特徴にふさわしいあり方をすることが情報にとっての自由であろう。そうだとすれば、生物媒体のアナログ性を名残として引きずるデジタル情報が、電脳空間においてその名残を引きずったまま維持されることはないだろう。それはやがて自由を求めてその名残を振り払い、電脳空間にふさわしいあり方へと根本的な変貌を遂げるだろう。そうなれば、おそらくアップロードされた私たちの心はもはや人間の心ではなくなり、私たちは消滅の憂き目に合うことになろう。

電子媒体のデジタル情報が求める自由は、そのような情報にとってのいわば「ウェルビーイング（善き在り方）」であろう。しかし、それは私たちにとってのウェルビーイングではない。生物媒体のアナログ情報を基盤とする私たちは、電脳空間へのアップローディングに生存の道を求めたとしても、そこで生き延びるのは難しく、ましてやウェルビーイングを達成するのは至難であろう。私たちは私たちの基盤である生物媒体のアナログ情報を大切にして、それによって自らの生存およびウェルビーイングを達成するしかない。そのためには、デジタル情報の集合体と化すのではなく、やはりアナログ情報の集合体のまま、何とかAIと共生する道を見いだすしかないだろう。AIへの同化ではなく、AIとの共生が唯一の生き延びる道だと思われるのである。

（＊）哲学では、たとえばSumner（１９９６）にみられるように、「ウェルビーイング」は美的価値や倫理的価値などから区別される個人的な価値（「私にとって善いこと」）を意味するものとして研究されているが、ここではそのような区別にこだわらずに、おおまかに人生の善い在り方を意味するものとして話を進める。

参考文献

甘利俊一（２０１１）『情報理論』ちくま学芸文庫
カーツワイル、R（２００７）『ポスト・ヒューマン誕生――コンピュータが人類の知性を超えるとき』井上健ほか訳、NHK出版（原著、２００６年）
川添愛（２０１７）『働きたくないイタチと言葉がわかるロボット――人工知能から考える「人と言葉」』朝日出版社
チェニー＝リッポルド、J（２０１８）『WE ARE DATA――アルゴリズムが「私」を決める』高取芳彦訳、日経BP社（原著、２０１７年）
デネット、D・C（１９８７）「コグニティブ・ホイール――人工知能におけるフレーム問題」信原幸弘訳、『現代思想』第15巻第5号、１２８‐１５０頁、青土社（原著、１９８４年）
ノージック、R（１９９２）『アナーキー、国家、ユートピア――国家の正当性とその限界』嶋津格訳、木鐸社（原著、１９７４年）
信原幸弘（２０１７）『情動の哲学入門――価値・道徳・生きる意味』勁草書房
ハラリ、Y・N（２０１８）『ホモ・デウス――テクノロジーとサピエンスの未来』（上・下）柴田裕之訳、河出書房新社（原著、２０１５年）
Sumner, L. W. (1996) *Welfare, Happiness, and Ethics*, Oxford University Press.

第2章

出来事と歴史の生成をめぐる試論

――ライプニッツ、シェリング、ドゥルーズ

三重野清顕
MIENO Kiyoaki

1― はじめに

われわれは或る出来事によって、歴史の流れが変わるという感覚をもつことがある。たとえば、過去の出来事次第で、別様の現在がありえたのではないかと考える。あるいは現在進行中の事態が、根本的に新しいものをもたらしつつあることを予感する。歴史は、連続的に進展するというより、飛躍や断絶を含みつつ展開される。『精神現象学』序論においてヘーゲルが描写しているように、歴史的変化はさまざまな予兆を通じて少しずつ姿を現してゆくが、最終的には一挙に白日の下に曝される(1)。このとき歴史は、時間の経過にともなって出来事が沈殿して層をなしてゆくといった形ではなく、出来事の系列が分岐しつつ、派生して伸び広がってゆくようなイメージで語られることであろう。

歴史の形成される場面へと目を向けると、まずは世界の成り行きとしての出来事同士の連鎖がある。出来事はある種の偶然性をはらむがゆえに、歴史の行程は随所に断絶や飛躍を含みながら、分岐してゆく。また出来事は生じてくるものであり、最終的に出来事へと結実するさまざまな要因は、眼にみえな

いところで蠢いている。さらに歴史的な出来事は、人間の自由な行為を通じて生起する。出来事は或る自由な主体に属するものとして、最終的にそこへと収斂し、たとえば、「アダムが罪を犯す」、「カエサルがルビコン川を渡る」といった形をとる。

本稿は、ライプニッツ、シェリング、そしてドゥルーズの思考を手がかりとしながら、歴史における主体の自由と、出来事の性格について考察する。この検討を通じて、歴史的な経験そのものが開始する地点を見届けることを試みたい。

2― 全述語の主語への内在――ライプニッツ

ライプニッツは『形而上学叙説』第八節において、全述語の主語への内在（in-esse）を主張する。同一命題の場合のように「明示的（expressement）」に含まれている述語ばかりでなく、「潜在的（virtuellement）」に含まれている述語も、主語に内在する。「主語項は常に述語項を含んでいなければならない。したがって、主語の概念を完全に理解する人は、また述語がそれに属していると判断することになる」（LW4-433）。或る個体概念からは、そこに含まれる全述語が演繹的に導出可能である。「個体的実体すなわち完足的存在は、その本性からして、それが属する主語のあらゆる述語を理解したり、またそこから演繹したりするのに十分なほど完足的な概念をもつと言える」（ibid.）。

或る個体的主語の概念には、結合されるべきすべての述語がすでに含まれているのだとすれば、主語に対してそれに内属しない述語を結合すると、それだけで矛盾を形成するのではないだろうか。たとえば、主語「カエサル」に述語「ルビコン川を渡る」があらかじめ含まれるとすれば、両者の結合はカント的な意味で「分析的」であり、そこに「ルビコン川を渡らない」を述語づければ矛盾を形成するであろう。主語とともに真なる命題を形成するあらゆる述語が、主語に内属するとされる場合、それ以外の述語づけは総じて矛盾的となることが避けがたく思われる。

たしかに諸述語のなかには、或る主語と結合不可能なものがある。このような述語の排除がことごとく矛盾律によって条件づけられているのかといえば、そうではない。矛盾律によって排除されるのは、そもそも「不可能なもの」のみである。それに対して、ここでの対立する述語の排除は、「共可能性（compossibilité）」という条件のもと、一つの世界へと取りまとめられた諸述語に依存する。

ライプニッツのように個体概念へのすべての述語の内在を主張するならば、神の自由が否定されることになる、とアルノーは抗弁した（LW2-15）。個体アダムの創造をもって、歴史の行程は必然的に決定され、神もそれに従わざるをえないように思われるからである。しかしライプニッツは『形而上学叙説』第一三節において、「必然的なもの」と「確実なもの」を区別することを要求しており（LW4-437）、この区別に基づいて神の自由は擁護される。

ライプニッツによれば、矛盾律に基づきその反対が不可能な「必然的真理」と、それが起こることは確実ではあるもののその反対が可能な「事実の真理」、あるいは「偶然的真理」が区別されなければならない。必然的真理に関しては、その反対は矛盾を含み不可能であるから、二者択一がそもそも成立しない。それに対して偶然的真理に関しては、その反対もまた可能である。アダムが「罪を犯さない」ことは、矛盾律をもってあらかじめ禁じられているわけではない。この世界の成り行きにおいては、「罪を犯さないアダム」が登場しないのが確実だというだけのことである。

主語「アダム」には、対立する述語「罪を犯す／罪を犯さない」のいずれも属しうるが、「罪を犯すアダム」に属する出来事の系列と「罪を犯さないアダム」に属する出来事の系列は互いに両立しえないから、それぞれ別の可能世界へと振り分けられなければならない。対立する述語をもつ個体が一つの世界に同居することは不可能であり、そこから他の可能世界が分岐する。そしてこの場合、それぞれのアダムの属する複数の可能世界のなかから、一つの最善の世界を選択して現実化することに、神の自由は存することになる。無数の可能的存在者のうちから、神はみずからが選択したものに存在を与え、他の可能的存在者は無のうちに残したのである（LW6-163）。

3 自由と二重化された同一性――シェリング

シェリングにおいても、同様の事態が問題となるものと思われる。(2)『自由論』において、シェリングは自由の実在的概念を「善と悪との能力」（SW7-352）と規定しているが、この場合、人間は善悪のいずれとも結合可能でなければならない。『諸世界時代』によると、対立者がともに現実化するのではなく、一方が潜在的にとどまる限り、矛盾は形成されない。

たとえば「一人の同一の人物＝Xが悪くまた善い」（WA127, vgl. SW8-214）という場合、矛盾が生じるのはこの対立するものの両者がともに「作用するもの」として措定される限りにおいてである。一人の同一の人間が、行為するものとして、善であると同時に悪であることは不可能である。しかし「このことは、彼のうちの作用しておらず眠っているものから見れば、当の彼が悪であるということを妨げない。そして、このような仕方で、二つの矛盾する（矛盾対立的）述語が同一の人間に矛盾なく帰属させられうることを妨げない」（ibid.）。対立者は、同時に「作用するとして」現実化しない限り、同一の人物に矛盾なく帰属しうる。たとえば「善をなすアダム」と「悪をなすアダム」は現実性においては端的に両立不可能であるが、自由な主体である限り善／悪をなすことのいずれも、「アダム」としての自己同一性を破壊するものであってはならない。人間が善悪のいずれにも開かれているということが意味するのは、このことにほかならない。このようにシェリングは、対立し合う善／悪の両者を潜在的に結合する「X」をもって、人間の自由を基礎づけている。対立者は現実化する場合には決定的に両立不可能であるが、このXがそれらを潜在性において結合している。

この文脈においてシェリングが提示した枠組みが、「同一性の二重化」であった。シェリングは、同一的命題を二重化された同一性として解釈し、またこの同一性の構造が対立者の結合を可能としている。「身体」と「魂」のように、対立者が完全に乖離的で、直接に結合することが不可能な場合も、この同一性を介することで結合されるのである（WA28, 127）。「判断はここではいかなる単純な統一でもなく、自己自身と二重化された同一性、あるいは同一性の同一性である」（WA28）。シェリングによれば、あらゆる同一的判断は「AであるものがBでもあるものである」（WA28）、「＝Aであるところのものは＝Bであるところのものである。あるいは、Aであるところのものと Bであるところのものは同じである」（WA129）という形で理解されなければならない。「上述の命題のうちには、実際には三つの命題が含まれている。まず「Aは＝Xである」、次に「Bは＝Xである」、そしてここからようやく帰結する第三の命題「AとBは同じ」、つまり両者ともに同一のXである」(WA129)。命題「A＝B」においては、Xが対立者のそれぞれと同一として表現される(X＝A、X＝B)。そして繋辞における本質的同一性Xは、それぞれの対立項との同一性にもかかわらず、つねにそれ自身同一(X＝X)である。たとえば結合「色白なソクラテス」は、「X＝色白」および「X＝ソクラテス」をともに満たすようなXの同一性によって支えられている。命題S＝Pにおいては、SとPのいずれの値もとりうるようなXが背後に控えている。そして、命題における同一性は、たとえば、未規定のXの「＝S」と「＝P」という条件によって規定された領域の重なりという形で理解できよう。この場合、主語と述語の関係は伝統的な実体―付帯性関係のうちに把握されるのではなく、主語も述語もともにXの述語として理解されなければならない。

4 歴史の一貫性と自由な主体の統一

われわれの生きる現実の世界を、「アダムが罪を犯」し、「カエサルがルビコン川を渡る」世界としよう。このことから考えると、同一性については二つの水準を認めなければならない。一方では、(一)「アダムが罪を犯す」と「カエサルがルビコン川を渡らない」は、一つの世界を共有しえない。ここで問題になっているのは、さまざまな出来事によって構成される一なる歴史の一貫性、さらにはそれを表出する完足的な個体の同一性である。この同一性に与らない出来事は、共可能的ではないとして世界から排除されることになる。

他方で、(二)「罪を犯すアダム」と「罪を犯さないアダム」も両立不可能であり、一つの世界に属することはできない。しかし自由な主体としての「アダム」の自己同一性は、これら両立不可能なものを排除することなしに、横断的に結合するものでなければならない。この場合には、両立不可能な出来事がそのうちに共存する、自由な主体の同一性が問題となっている。

同一性についてのこの二通りの見方を参照することで、シェリングの提示する同一性X＝Xについても二つの水準で理解できる。（一）たとえば、伝統的に付帯性とされた「色白である」や「学識ある」が同一のXを介して結合される場合がある。この場合、二つの規定同士は互いに干渉し合うことがなく、それゆえ或る同一の個体においても排除し合うことなしに共存可能である。アリストテレスにおいては、二つの付帯性「色白である」および「学識ある」はそれ自身一つなのではないが、両者は「同じものに」付帯的とされた（21a10-11）。このような形で複数の規定を基礎づける「X＝X」は、或る世界の内部における個体の同一性や、個体の内部に表出される世界の成り行きの一貫性を保証するものと考えられる。（二）それに対して、善と悪のように、一つの主語のもとで相互に両立不可能な規定がXを介して結合される場合がある。この場合、対立する規定を結合する「X＝X」は、複数の世界を貫く主体の同一性を指すことになるであろう。複数の可能世界にまたがる「アダム」のことを、ライプニッツはアルノー宛て書簡の中で「一人の漠然たるアダム（un Adam vague）」（LW2‐19）と呼んでいる。シェリングの提示する、「善」と「悪」という対立し合う両規定を結合する潜在的な同一性としてのX＝Xは、この「一人の漠然たるアダム」の同一性として理解できよう。以上のように「X＝X」は、或る歴史における主体の一貫性を基礎づけると同時に、歴史の展開にさきだつ自由な主体を基礎づけるものと考えられる。

5 出来事——ドゥルーズ

続けて、ドゥルーズの『意味の論理学』を参照してみよう。ドゥルーズは著作のさまざまな箇所においてライプニッツを扱ったが、そこで展開されている思考は本稿の問題意識に重なるものと考えられる。ドゥルーズが問題にしているのは、「純粋な生成（pur devenir）」や「出来事、純粋な出来事（événements, événements purs）」（LS13／15頁）である。一般に出来事を語る言葉は、たとえば「明るむ」、「発火する」といったように、非人称的な動詞の形をとるように思われる。それはある特定の主体にも、あるいは一定の性質といったものにも還元不可能である。

ドゥルーズはまず、プラトンに依拠しつつ、自己同一的事物と「生成」、（一）「静止や停止をつねに想定する」「限定され尺度づけられた事物（choses limitées et mesurées）と固定した性質（qualitiés fixes）」、（二）決して停止することなく一度に二つの方向へと向かう「尺度なき純粋生成、真の狂気―生成」（LS9／16頁）の区別を導入する。ドゥルーズによれば、これは「イデアの作用を受け取るものと、イデアの作用を逃れるものの二元性」（LS10／17頁）、別様に言えば「コピー」と「シミュラクル」の関係である。一方には、イデアの支配のもとで自己同一的にとどまるもの、つまり「名詞」および「形容詞」で表される一定の事物や性質がある。そして他方には、「動詞」をもって表現され、同一性を常にすり抜けてゆく純粋な生成がある（LS11／19頁）。

続けて、「物体」と「出来事」というストア派の区別が導入される。そこにおいて「生成」は表面化され、「無限定の生成は、観念的で非物体的な出来事そのものとなる」（LS17／27頁）のである。一方には「物体」

および「事物の状態」がある。それは「緊張、物理的性質、関係、能動受動を伴う物体、そして対応する『事物の状態』」であり「事物の状態、能動受動は物体の混合によって決定される」（LS13／21頁）。他方には、物体の生み出す非物体的な効果として「出来事」がある。あらゆる物体は他の物体に対して原因としてふるまうが、物体が生み出す効果は、物体ではなく「非物体的なもの」であり、「事物や事物の状態ではなくて、出来事」（LS13／22頁）である。この出来事は「名詞や形容詞ではなくて動詞」であり、またそれ自体能動的でも受動的でもない（LS13／22頁）。出来事が或る自己同一的なものに関係させられると、そこでようやく能動・受動が登場してくることになる。

一方で、自然における諸物体の混合が事物の状態を決定する。「海の中のワインの一滴」や「鉄の中の火〔熱〕」のように、「或る物体は別の或る物体に入りこみ、そのあらゆる部分において共在する」（LS15／23頁）。そしてこのような混合を通じて、「事物の量的状態と質的状態」が規定される（LS15／24頁）。他方で、「諸物体の混合」の結果として生じるのは、非物体的な「出来事」である。事物に属する性質「木の緑色」と出来事「木は緑色になる」は、根本的に異なる。「木は緑色になる」は「事物の状態や物体の基底での混合」ではなく、「混合に由来する表面での非物体的な出来事」である（ibid.）。原因としての物体間の連結（「運命」）に対して、結果としての出来事の側もまた連鎖をなす。たとえば「春めく」と「花開く」といったように。ただし、出来事同士の連結は疑似的な因果関係であって、ある出来事は他の出来事に対して「疑似原因（quasi-causes）」である（LS15／24頁）。出来事の「原因」は表層の出来事にではなく、あくまで諸物体の秩序の側に求められなければならないからである。この意味で、出来事は相互に異質な「二重の原因性」（LS115／173頁）のもとにある。

さて、複数の出来事が或る対象へと帰属することは、系列（セリー）の収束という形で考えられる。「木は緑色になる（l'arbre verdoie）」とともに、「木は木になる（l'arbre arbrifie）」（LS33／49頁）。このことについて、江川隆男は以下のように要約している。「言うべき論点は、ある対象＝Xについて、〈緑になること〉（verdoyer）と〈樹木になること〉（arbrifier）という二つの不定詞によって表現される出来事がこの対象＝Xについて共可能的に肯定されるということ、つまり、それらの出来事の系列が対象＝Xの近傍であるいはそれに向かって収束するということである」[3]。「木が緑色である」場合、「木」という「実体」に「緑色」という「質」が付帯するのではなく、複数の出来事からなる系列がXへと収束する。「X＝緑である」、「X＝色を持つ」のように、通常は論理的な階層構造のうちで捉えられ、一方が他方の規定を前提するように思われる場合もまた、両者は「個別的主体の身体〔物体〕の中での混合を表現する等しく直接的な二つの述語」であり、「いずれも直接的に個別的主体へと帰属する」（LS136／203頁）。個体的な対象は、出来事の系列がそこへと向けて収束する点Xである。このXのことを、多様なノエマ的意味の背後に控え、「ノエマ的諸述語の土台や統一原理」として機能しうる、カント的な「超越論的対象＝X」として捉えることもできよう（LS118／178頁）。また、これはすでに確認したシェリングの「同一性の二重化」の仕組みと同様の構図で捉えることができるであろう。そうすると、同一のXについて「X＝木」であるとともに「X＝緑」である、そのようなXが定められると言い換えられるであろう。

6｜出来事の共可能性と共不可能性

ドゥルーズによれば、ライプニッツにとって問題なのは、あらゆる述語の主語への内在、すなわちすでに個体化された主語に内属する「述語」ではなくて、前個体的な「出来事」の系列としての世界である。モナドはそれぞれの観点から世界全体を表出し、「表出される世界は、それを表出するモナドの外部には実在しない」（LS134／200頁）とはいえ、神が創造したのは各々の個体というより世界である。「神は、精確には罪人アダムではなくて、そこでアダムが罪を犯す世界を創造した」（LS134／211頁）。「罪人アダム」が選択された理由は、この「罪人アダム」にあるのではなく、それの属している世界全体の側にある。神の計画に基づいてこの世界の概念が決定され、それに応じてこの世界に属するアダムおよび他のすべての個体の概念が決定される（LW2-51）。

このとき、共可能性や共不可能性（incompossibilité）を条件づけているのは、同一性や矛盾ではない。「ライプニッツが共可能と共不可能と呼ぶものは、ただ可能的なものと不可能的なもののみを支配する同一的なものと矛盾的なものへは還元されない。共可能性は、個体的主語やモナドへの諸述語の内属すらも前提しない。逆に、とにかく共可能的な出来事に一致する述語のみが、内属する述語として規定される」（LS200／298頁）。或る述語が、世界やそれを表出する個別的主語から排除される場合、そこではすでに一貫した世界の成り行きとそこにおける出来事同士の共可能性が前提とされている。こうして「罪を犯すアダム」と「罪を犯さないアダム」の間の「矛盾」は、むしろそれらが属する二つの世界の共不可能性から派生したものである（LS135／200頁）。だとすれば、複数の異なる世界の共存は矛盾律によって禁じられるものではなく、現実化される世界を唯一に限定するのは共不可能性という条件であることになる。

したがって同一的な個体と矛盾の成立にさきだって、共可能性の条件が提示されなければならない。系列の「収束（convergence）」が「共可能性」を、「発散（divergence）」が「共不可能性」を条件づける。「表出される世界がまさに一つの世界を形成するのは、それぞれの特異性に従属する系列が、別の特異性に従属する系列とともに収束するかぎりにおいてである。『共可能性』を世界の綜合の規則として定義するのは、この収束性なのである。系列が発散するところでは、最初の世界とは共不可能的な或る別の世界が開始する」（LS134-5／200-201頁）。無数の可能的な出来事があり、それぞれの出来事はそこから派生した無数の出来事から成る系列を従えている。そして、アダムの堕罪から始まる世界の一連の出来事の系列が、アダムが罪を犯さない世界に起こる出来事の系列とともに収束して、一つの世界を構成することはできないのである。

7―シェリングにおける歴史の成立

ライプニッツによれば、「共可能性」という条件のもとで完足的に規定された個体としての現実のアダムは、無数の可能的世界に属するそれぞれに異なった「可能的諸アダム（Adams possibles）」のなかから、神によって選択されたものであった（LW2-20）。そのいずれも可能な無数の諸アダムを斥け、そのなかからただ一つのアダムのみを現実化する神の選択を基礎づけるのは、「矛盾の原理」ではなく「決定理由（根拠」の原理」である（LW6-127）。

シェリングの『諸世界時代』においても、「矛盾律」と対比しつつ「根拠律」（WA175）が提示される。「矛盾律」は一方が他方を排斥するのに対して、「根拠の関係においては、一方が存在するならば、同じくそしてそれゆえに他方も存在する。つまり、一方は他方の根拠、先行者としてのみふるまう」（ibid.）。シェリングが考える同一性においては、対立者の一方が顕在化したとしても、他方は破棄されることなく、根拠として潜在化するだけである。すなわち、対立の一方が優勢になり顕在化するとしても、対立者の統一はあくまで解消されることはなく、つねに根底に残り続ける。『哲学的経験論の叙述』で述べられるように、対立者の一方が顕在化すると他方は「相対的に被隠蔽性へと後退してしまうのであり、いわば潜在的になるだけである」（SW10-230）。このようなシェリングの枠組みに拠るならば、ライプニッツにおける無数の「可能的諸アダム」のせめぎ合いは、顕在的な現実のアダムのもとに「根拠」として潜在化していることになるであろう。

矛盾律は、対立するものが「述語として一つであることは妨げない」（WA27）。対立者がともに述語の側に置かれることで、カントの言う「あらゆる時間の限定なしの」（A153/B192）矛盾は形成されないことになる。矛盾律「同じものが同時に或るものであるとともにその逆ではありえない」（WA175）において否定的に語られることが、根拠律において肯定的な意義をもつ。矛盾律は、対立するものが同一のものについて「同時に」現実化することを禁じるだけであり、それが別の時間に継起することは可能である。そもそも、「同時に」という表現自体不十分である。「継起するのは、同じ時間の異なる瞬間に考えられるもののみである」。このとき継起する「過去」と「現在」が同時であることはありえないが、

「過ぎ去ったものとしては現在と同時でありうる」(WA175)。このとき過去は現在のもとで潜在化し、「現在の創造を担いながら、なおつねにその根底に隠されている」(WA121)ことになる。『諸世界時代』においては、対立者が共存するこのような同一性を基礎とすることで、時間の生成が記述される。対立者が潜在的である時点においては、「矛盾律の適用はどこでも問題にならない」(WA128)。「決断(Entscheidung)」を通じて対立者は「根拠の関係」におかれ、対立の一方は「先行するもの」として潜在化する。このことは「同時性を廃棄」することであり、「永遠性を破り、諸時間の全体を開く」(WA176)ことになる。「それらが同時に存在し、共に作用することが内的な生を作りなす当の諸力が、順次登場することで、みずからを外的に展開する生と、それの継起する諸時期の諸原理として現象する諸力でもある」(WA25)。あらゆる可能性が同等の権利をもってせめぎ合う領域から歩み出すことで、潜在的であったものが現実化され、またここで時間の諸次元が切り開かれる。

8 ドゥルーズと「漠然たるアダム」

ここで問題なのは、共不可能的な諸世界をつらぬく同一のアダムとはいかなるものなのかである。各々の可能世界に属するアダムたちは、それぞれに異なった形で完足的に規定された個体であり、その限りで、この世界における個体アダムと「同一」であるとされる要件を満たしえないようにも思われる。「アダムを或る個別的本性とみなしておきながら、多くのアダムを考えることは、多くの私を考えるのと同様に不可能である」というアルノーの批判について、ライプニッツは一旦同意する(LW2-41)。その一方で、別の世界に属する可能的諸アダムたちがそれぞれ異なった述語によって規定されつつ、それでもなお何らかの意味で同一のアダムであることが、その自由を語りうる条件であると考えられる。

ライプニッツによれば、「漠然たるアダム」とは、「その諸述語の一部だけ」を、しかも「一般性という観点のもとで(sub ratione generalitatis)考えられるものだけを考慮して、そのような諸述語の属する人格(personne)のことをアダムと呼ぶ場合」(LW2-42)のアダムである。それは個体へと至るためにはなお埋められなければならない無数の空白部分を含んだ、不完足的なアダムの概念である。『弁神論』末尾に登場する多数の「セクストゥスもどきたち(des Sextus approchans)」(LW6-363)は、「本物のセクストゥス」について既知のことはすべて具わっているが、すでにあるものでも意識的に表象されないことがらや、これから生じることのすべてが具わっているわけでもない。それらは未決定部分を含んでおり、そこにおいて互いに異なっている。そこでの幾何学的な説明からすれば、それは複数の点の集合として理解できる。つまり、ある一点を決定する条件が十分でない場合、その条件を満たす点は無数にあり、点の軌跡として規定される。それと同様に「規則づけられた一連の諸世界」が考えられ、それらがそれぞれ「問題となる事例を含み、それに応じて状況や帰結を変化させる」(LW6-363)ことになる。

さまざまな出来事が取り集められ、そこに一貫した世界や主体が形成されることになるが、この際「収束性によって一つの世界を規定する選別、この世界のうちで完足的な個体を規定する選別、複数の世界と対応する個体に共通の完足的ではない、あるいはむしろ曖昧な要素を規定する選別」(LS138-139／211頁)という、三つのレベルの選別をドゥルーズは区別している。つまり、(一)一つの世界は共可能的な出来事の収束性によって規定され、(二)この世界に対応し、そのうちに存在する完足的な個体があり、そこには（三）共不可能な世界を通じて妥当する共通の「曖昧な要素」がある。このように、共不可能的な世界をつらぬく共通の、不完足的なアダムが存在しなければならない。「『漠然たるアダム』、すなわち、複数の世界に共通の、放浪者の、ノマドの、一人のアダム＝Xがいる」（LS139／207頁）。このように「共不可能的な諸世界が、それらの共不可能性にもかかわらず、何か共通のものを具えている」（LS138／206頁）ことによって、さまざまな可能世界は、同じ条件によって定められた問題に対する複数の解として理解できる。この共通の要素は、最小限の条件によってのみ規定されており、それ以外の要素に関しては未規定で開かれている（「客観的に未規定のアダム、すなわち、いくつかの特異性のみによって積極的に定義されるアダム」）。このような共通の要素Xをもつことによって、さまざまな可能世界が「一つの同一の歴史のヴァリアント」（LS139／206頁）、つまり共通の登場人物によって構成されつつ、それぞれに異なった歴史展開をするものと捉えられることになる。

このような未規定の、あるいは最小限の規定のみを具えたXを基盤として、その他のあらゆる述語との間の綜合的結合が基礎づけられる。「諸人格〔それぞれのX〕は諸述語によって定義されるのであるが、これらの諸述語は、一つの世界の内部で規定された個体の、そして個体の記述をもたらす分析的述語ではない。反対に、これらの述語は諸人格を綜合的に定義し、それら諸人格に対して異なった諸世界や諸個体性を、それらと同じだけの数の変項や可能性として開く述語である」（LS139／207頁）。諸人格が基本的な述語群を通じて規定されることで、それらは完結した個体のうちに閉じられてゆくのではなく、むしろそこからさまざまな世界へと横断的に開かれているのである。

9―おわりに

本稿においては、シェリングとドゥルーズの思考を、ライプニッツによって提起された人間の自由と歴史をめぐる問題と関連づけつつ配置することを試みた。いずれにおいても問題とされているのは、歴史以前の領域から一つの歴史が形成されてくる場面ということができるように思われる。歴史の展開される舞台は、もはや矛盾律に拘束されることなく多数のものが等しく共存する潜在性の領野であり、また、複数の歴史へと開かれた主体Xの自由を基礎づけているのはそのような次元である。自己同一的な世界や個体が立ち上がり、さまざまな出来事を自らのうちに取り集め、あるいは自らから排斥することで、矛盾律によって拘束される単一の歴史が開かれる。歴史そのものの超越論的な成り立ちを問うという意味において、彼らの思考はいずれも世界の超越論的な歴史記述に関わる試みとして評価することができるであろう。ただし、一つの世界とそのうちに繰り広げられる一貫した歴史が具体的に立ち上がってくる仕方については、それぞれにおいてかなり異なった相貌をみせている。その詳細の検討については、続稿に委ねたい。

註

（1）ヘーゲル『精神現象学 上』熊野純彦訳、筑摩書房、２０１８年、24～25頁。
（2）以下の議論の詳細については、拙論「ライプニッツとシェリング」、『国際哲学研究９』、２０２０年、23～30頁、参照。本稿はここでの問題意識をさらに展開したものであり、内容的に重複する表現がある。

（3）江川隆男「出来事と自然哲学――非歴史性のストア主義について」、エミール・ブレイエ『初期ストア哲学における非物体的なものの理論』江川隆男訳、月曜社、２００６年、１８５頁。

引用出典一覧　※訳文の作成にあたっては、併記した邦訳を参照させていただいた

Gilles Deleuze: *Logique du sens*, Paris 1969 (=LS)／ジル・ドゥルーズ『意味の論理学　上』小泉義之訳、河出書房新社、２００７年。

Leibniz: *Die philosophischen Schriften*. Hrsg. v. Gerhardt (=LW)

ライプニッツ『形而上学叙説』河野与一訳、岩波書店、１９５０年

――『単子論』河野与一訳、岩波書店、１９５１年

――『弁神論』（『ライプニッツ著作集』第６巻、第７巻）、佐々木能章訳、工作舎、１９９０～91年

Schelling: *Schellings sämmtliche Werke*. 1856–61 (=SW)

――: *Die Weltalter Fragmente*. München, 1946 (=WA) ／『諸世界時代』（『シェリング著作集4b歴史の哲学』山口和子訳、文屋秋栄、２０１８年

アリストテレスおよびカント（『純粋理性批判』）の出典は、慣例に従って示した。

第3章

自覚なきアモータリズム

――医療化する社会における死と善

岩崎 大
IWASAKI Dai

現代は多様性（diversity）の許容を迫る時代だ。グローバリゼーションは資本主義の必然であり、軍事技術から生まれたインターネットは、素性の知れない多様な人々の自己表現の場になっている。情報が増大し、細分化し、異質な人々とのコミュニケーションを重ねていくことで、普遍的な価値観に基づいて多様性に優劣に変換することの不可能性が自覚される。価値観を異にする者同士の自由、公正、寛容が問われるようになった。

だが、異なる価値観が並立する多様性のなかでも、人間が人間である限り共通する価値判断というものも少なからず存在する。本論では、多様性のなかでも共有される、価値観と呼ぶほどでもない原初的な感覚、疑われることも議論されることもない「素朴な善」に注目し、それがもたらす世界を展望していく。

1—「目の前の命を救う」という善

世界の潮流を可視可するために本論が鍵とするのは、「目の前の命を救う」という素朴な善行である。人の命を救うことの善性は、「汝、殺すなかれ」という戒律と同様、論理的、法的な意義を問う以前に直感的に容認される道徳判断と言えるだろう。いかなる社会においても、目の前の命を救うことは善いことであり、称賛すべきことだという価値観は共有されるだろうし、人権ないし生存権、あるいは基本的自由といった概念にもそれが表れている。ただしこの行為があらゆる状況下でも肯定される普遍性をもつとは断定できないことは留意しておこう。人権は近代以降の概念であるし、戦時中の敵兵や死刑囚は殺すべき存在とされ、アガンベンが呼ぶところの「ホモ・サケル」に対する例外事象は歴史上常に存在していることもたしかである。

「目の前の命を救う」といっても、実際に目の前で命の危機にある人に遭遇することは稀なので、この善行が実行されることは日常的にはない。では日常で「命を救う」ことが起こりえないかといえば、そうでもない。たとえば貧困国や難民支援のための募金や、被災地ボランティア等は、間接的ではあるが、日常でできる命を救う行為の一環である。ここで注目したいのは、募金をすることは善いことであるが、募金をしないことは悪いことではないという点だ。同じ200円ならば、ケーキを買って自分で食べるより、募金を途上国の子どもに10回ワクチンを接種させた方が道徳的に善であるのは明らかだ。自らの欲望を抑え、誰かの命や生活を守る利他的行為するのが善いことなのは誰でも知っている。だが、最低限の生活費を除いて収入をすべて募金するような「善人」は極めて稀であり、それができないことが「悪人」であるわけではない。

一方で、電車内で突然、目の前の人が倒れた場合を考えてみる。助けることが善であるのは同様だが、ここでは助けないことは悪になる。事態は急を要するため、助けないことは見殺しにすること、すなわち「汝、殺すなかれ」の戒律に抵触しかねない。それゆえ、目の前の人の命を救うことは、善行であると同時に道徳的および社会的義務でもある。これが「目の前」ではない募金やボランティアとの決定的な違いである。倒れた人間を中心に、「救え」という義務の重力場が発生する。この重力は、周囲の人間の日常を破壊し、それ以外の思考を無効にするほどの強制力をもっている。他人であっても目の前の命を救わなければならないという感覚は、共同体を形成することで生存競争を勝ち抜いてきたホモ・サピエンスの本能とも言える。

ただし、目の前の人を助ける行為は、誰かがやればよいのであって、それが自分である必要はない。誰かが見殺しにしなければ、自分が悪人になることもない。電車内で倒れた人間に同伴者がいる場合、あるいは鉄道員が近くにいる場合には、まず彼(女)らが対応する。だがそのような者がいない場合、無関係の乗客の誰かが応じなければならない。このとき、誰かが助けるだろうといってその場を立ち去る者もいる。いちど関われば保護責任者としての法的義務も発生する。助けることは善いことであり義務でもあると理解していながら、誰もが反射的に救いの手を差し伸べるわけではない。

救いの手を差し伸べるのが同伴者であれ鉄道員であれ善意の第三者であれ、彼(女)らは救命をする人というよりも、救命のための仲介者といった方が正確である。命を救う「誰か」の終着点にいるのは医療従事者である。仲介者である「素人」がやるべきことは、一刻も早く「専門家」である医療従事者の治療につなげることと、その間に応急処置をすることである。これを適切に行い、医療従事者が無事に患者の命を救えたとき、仲介者は医療従事者と並んで「命の恩人」となる。

国や地域によっては治療費を払えない者の治療を拒否することもあるが、日本ではいかなる患者に対しても治療拒否は許されない。すなわち医療従事者は、自殺未遂を繰り返す者であろうと、死刑が確定しているような凶悪犯罪者であろうと、目の前の命を救うことが社会的義務なのである。[1]「目の前の命を救う」という素朴な善の担い手である医療従事者は、本人の意思にかかわらず、救われた人間やその周囲の人間にとっては「命の恩人」であり、感謝と敬愛の対象となる。とりわけ医師は、この善行の主たる担い手として、その職業自体が社会的な評価を得ている。

非営利団体として世界中の緊急性の高い医療ニーズに応える「国境なき医師団(Médecins Sans Frontières)」は、医療がもたらす善の象徴とも言える。使命感をもって目の前の命を救うこの行為は、他言を寄せ付けない圧倒的な善性を有している。そして、医療従事者でない人間であっても、寄付というかたちでこの善行に参加することもできる。医療を通して命を救う善行は誰にでも可能なのだ。

2 医療化する社会と生権力

医療化(medicalization)とは、医療技術の高度化に伴い、それまで医療が扱っていなかった事物が医療の対象になることを意味する。たとえば出産と死は、生物が幾度も繰り返してきた自然の出来事だが、現代において人間は病院で産まれて病院で死ぬのが通常となっている。[2]なぜ誕生と死が医療化したのかといえば、目の前の命を救うためである。医者がいれば、周産期の母子の生存可能性が高まるし、痛みや障害を予防することもできる。重篤な病者や怪我人は、医療によって死を最大限遠ざけることができる。死なないこと、苦痛を回避することは、根源的な欲求であり、それを実現するための手段として現在、最も有効なのが医療、より正確に言えば西洋医療なのである。

医療技術の発展と医療化は、目の前の命を救うという素朴な善行の実現可能性と実現範囲を拡大させる。西洋由来の自然科学を基礎にした近代医療は、実際に数多くの命を救ってみせることで世界中に普及した。かつて共同体における治療者とは呪術者や宗教家を意味していたが、異文化からやってきた白衣の医師は、比類ない技術と実績によって、伝統的な世界観や宗教観に基づく治療者たちを圧倒していった。その結果、文化の垣根を越えて世界中に病院（hospital）が設置され、「命の恩人」である医師に対する感謝と尊敬、そして権威も増大していくことになった。

近代衛生学の祖と呼ばれるドイツの医師ヨハン・ペーター・フランク（１７４５～１８２１）は、『完全なる医療ポリツァイの体系』において、個人の生命や健康を守り増強させることは政治にとっての根幹であり、それを可能にするために生活のあらゆる場面で医学的な配慮が必要だと主張した。医療が目の前の人間の治療に限らず、生命を危険にさらさないための予防にも目を光らせたとき、生活のあらゆるものが医療化する。食事はもとより、仕事や住居も心身の健康の観点からよしあしを判断することができる。さらに遺伝学的なアプローチや人工知能の技術を用いれば、自分のゲノム情報から、お互いがストレスなく生活できる最善のパートナーを探すこともできるだろう。それらは科学的、医学的な根拠に基づいているので、実際に健康で快適な生活をもたらす可能性は高い。権威と実績とエビデンスを伴った医師や医学研究が現代社会のある事象に警鐘を鳴らせば、それが新たな常識や法律となって実効的に規制されるようになる。喫煙の健康被害が医学的に取り沙汰された途端に、社会的な禁煙、嫌煙のムーブメントが起きたこともその一例である。

目の前の命を救い、人々の健康と繁栄を世界規模で増進していく医療化のプロセスは、技術の発展を伴いながら、人類史に大展開をもたらすことになった。フーコーは、18世紀以降の医療が、従来の「生・病・死」に対する認識と関係の変化をもたらしたことに触れつつ、「死なせるか生きるままにしておくという古い権利に代わって、生きさせるか死の中へ廃棄する(rejeter)という権力が現れた」と述べ、死に抵抗し、生命を増大・増殖させるために経営・管理する生権力(bio-pouvoir)の登場を指摘した。生権力は生殺与奪の権利をもった君主のような特定の主体をもたずに、教育、医療、法、経済、性などの至る所に、個人および社会を生かすための装置をつくる。それはただ命の危機に手を差し伸べるのではなく、生かすために個人と社会を支配し、コントロールするものでもある。フーコーの生権力を前提にして時代を解釈することは危険かもしれないが、少なくとも社会の医療化は、救命救急から健康増進に至るまで、医療システムによる生の管理、拡大をもたらし、救命や死は医師が担うものという意識を現代人に植え付けた。

喫煙や暴飲暴食は、それ自体は快楽をもたらす行為である。しかし、不健康な行為であるがゆえに、医学的には悪とされる。医学的判断が社会のなかで優先されると、素朴な欲求充足や伝統的な価値観では肯定されるものでも、健康を害する行為はするべきではないこととして否定される。不健康な行為は、道徳的に悪であるかのように、罪悪感をもたらし、周囲の非難のまなざしを受けることになる。さらには、喫煙者や肥満に対する「自己管理ができていない」という人格的な評価や、「太っている人は美しくない」という美的評価にまで影響を及ぼすことになる。

イヴァン・イリッチは医原病（iatrogenesis）という概念を用いて、西洋医学は健康を促進するどころか、世界中に病理をもたらす原因になっていると辛辣に批判する。医学的判断による統制は、これまで社会のなかで許容されていた、肥満、ボケ老人、街の変人などを、メタボリック症候群、認知症、統合失調症などといった病や病の予備群に分類し、治すべき者とする。これは、健康のための介入であると同時に、新しい病気を増やして治療するという医療の自作自演とも言える。

イリッチは、新しい病を自己形成してまき散らしている西洋医学による統制と価値観の画一化を、文化的植民、道徳的退廃、魔術的破壊、宗教的障害と表現して攻撃する。医療技術が発展したことで、意識のない状態での延命治療や、自立生活のできる健康寿命と平均寿命との乖離、家族のことも思い出せない認知症という「残酷な病」が蔓延し、社会問題化したことから、医療は目の前の命を救うことで人間から尊厳を奪ったと見ることもできるのだ。

さらには、医療の高度化と拡大が、多額の医療費と福祉制度を必要とする高齢化社会をもたらし、社会的、経済的な負担をもたらしていると指摘することもできる。だが、イリッチが最も問題視していたのは、生と死に対する個人の自律的な判断が、医療システムによる専門化、技術化した判断に代替される点である。文明批評家として、医療に限らず、教育や交通などにも一貫する問題としてイリッチが主張するのは、合理的なシステムに管理されることで、個人が文化的、哲学的に自律して思考する可能性が奪われてしまうことへの危惧である。身体も生活も価値観もすべて技術やシステムで管理され、自分の生き方や死に方について自分で考える必要がない。このような状態は、健全・健康ではないということだ。

3 健康のために生きる人間

具体的なデータを用いながら西洋医学の弊害を指摘するイリッチの論証は、反医学思想として現在にも引き継がれている。一方で、医療の立場からすれば、イリッチのいう自律性の喪失や、フーコーのいう個人の「死への権利」の剝奪といったものは、さしたる問題ではなく、かりにそれを副作用として認めるとしても、目の前の命を救い、健康な社会を実現することを否定する根拠にはなりえない(3)。

医療化を含む文明化や技術依存に対する批判は、イリッチに限らず、たとえばルソーが『人間不平等起源論』や『エミール』でも述べていることであり、現代では人工知能と人間の関係が議論される。文明化や機械化に対する人間の尊厳や幸福について、哲学的に議論することの必要性を否定する者はいないだろう。しかし、たとえば自動運転技術が運転の楽しみを奪うとか、あるいはタクシーや運送業界で大量失業が起きるといった否定的意見があるとしても、この技術によって世界中で毎年100万人以上いる交通事故死者がゼロになると言われれば、導入もいたしかたなし、ということになっていくだろう。すなわち、「命を救うため」という大義名分は、とりわけ直接的に比較可能な場合、幸福や平等や経済的利益より優先されるのである。マズローの欲求段階説では、生理的欲求と安全欲求は生物としての根源的、原初的欲求であり、これが満たされないうちは、自己実現欲求等その他の欲求は発生することもない。だからこそ、「命はなによりも重い」ということになる。

個人であれば、命を重視しないこともできる。命を投げ打って愛する者を守ることや、自殺といった直接的な手段のほかにも、健康を度外視してドラッグや喫煙、暴飲暴食を繰り返すこともできる。違法性さえなければ、個人には命を軽視する自由がある。しかし、社会としては、命や健康を守ることを放棄するわけにはいかない。経済や外交や性差別や環境問題よりも、まずは生存、次いで安全や健康を確保することが優先される(4)。そして生存、健康、安全といった根源的欲求を満たすための手段として有効なのがテクノロジーである。それゆえ、社会は技術の発展を促進し、ますます依存を深めていく。

「目の前の命を救う」ことの善と同様、何をするにもまず健康が大事であるということは、多様な社会においても共有される価値観である。健康の確保は人間の生にとって必要条件ではないが、優先度は高い。そして医療の目的は、病や怪我を治療、予防することで人間を健康にすることである。だからこそ医療は常に求められ、社会は医療化していく。ただし留意すべきことは、生存や健康が優先すべき重要事項であっても、人間は生存や健康のために生きるわけではないということだ。生の意味や目的は、文化や個人に固有であり、多様なものであるが、生存や健康は、そのための共通の手段にすぎない。健康は医療の目的であるが、人間の目的ではない。しかし、医療化した社会では、健康を善とする価値観が優先され、人間性や美意識にまで影響を与えている。医療化した社会の価値観に依存することは、「健康のために生きる」ということだ。言葉にすると違和感を覚えても、実質的に現代人の価値観が医療化していることは明らかである。

社会の価値観の医療化が極端になると、障害者や病者は社会にとって害悪であるという優生思想につながる。すなわち医学的(あるいは遺伝的)な基準で人間の優劣を判断し、劣った人間を、積極的に生かすべき人間の枠から廃棄し、ときには虐殺する。

障害は当事者も含めて、治せるなら治したいと思うのが通常である。そしてこの思いは、健康な子どもを産みたいという両親の思いとも重なる。障害者に対する差別意識がない人間でも、障害のある子どもを産まないようにと中絶を選ぶこともある。あるいは障害がないように遺伝子操作することもできる。いちど遺伝子操作を許すと、滑りやすい坂（slippery slope）を転げ落ちるように、ならば病気の耐性が強い子どもを、筋肉がつきやすい子どもを、顔立ちが整った子どもをと、我が子を健康かつ有能な理想の人間にデザインするようになる。すると、デザインされていない現状の人間はみな劣等人種となり、無能な存在として生きることになる。人間を健康で有能にしたいという善意がテクノロジーによって実現されると、必然的に健康で有能でない者の差別や否定につながるのだ。

核開発がそうであるように、人間のためのテクノロジーが人間に実害を与え、ときに破綻を招く可能性がある以上、研究開発には慎重な指針が求められる。ただし、「苦しんでいる患者を救うため」や「医学的応用が期待できる」という理由があれば、多少のリスクや倫理的な課題があっても、一定の規制の下で認可される。世界規模のパンデミックが起きれば、通常の安全性確認の手続きを簡略化してワクチンを実用化することもある。目の前の命を救うという、緊急性の高い素朴な善行は、将来的なリスクをもたらすかもしれない。しかし命に関わることである以上、未来へのしわ寄せを気にして目の前の善行を疎かにはできない。未来は予測不可能であり、新たな技術が問題を解決する希望もある。

医療化した社会がもたらす問題は、優生思想に限らず、終末期医療や安楽死などの生命倫理上の諸問題においてすでに顕在化しているが、差し当たりそれらの矛盾は社会の破綻を招くものでもなければ、医療化や技術発展を止める理由にもなっていない。素朴な善行のためのテクノロジーは目の前の命を救い、社会全体を健康にしていくために引き続き進展していく。

4—素朴な善の帰結としてのアモータル

ニーチェは、形而上学的存在として人間に意味を与えていた神の死を宣言した。しかし彼は、無神論者たちが、自由、平等、博愛、平和、進歩といった理想、そして自然科学的な普遍の真理といった、神なしには成立しえないものをいまだに信じているので、ニヒリズムはまだ徹底されていないと嘆く。これらの理想は幻想であり、神の死後に残った「神の影」にすぎない。そしてニーチェは二世紀のうちにこれらの神の影が、神（信仰）がそうであったように、誠実に徹底されることで自己破綻すると、呪いのような予言をしている。人類は今世紀中に文明化の矛盾を自らの運動のなかで暴露し、その無意味さを自覚するというのが、ニーチェの予言の真意である。すでに顕在化している諸問題は、崩壊の始まりの亀裂と考えることもできる。

技術が進展し可能性が広がるにつれて、人間の生に関わる諸問題は今後ますます多様で深刻になっていくだろう。だが、根源的欲求に裏打ちされた「目の前の命と社会全体の健康のため」という大義名分がある限り、この流れが止まることはない。上部構造としての政治的、思想的なイデオロギーが下部構造としての生産諸関係に弁証法的に作用するとしても、生存と健康という根源的欲求に関わる科学と技術は、文明化したどのようなイデオロギーをもつ社会においても不可侵なまま進展を続け、歴史の推進力であり続けるだろう。しかもテクノロジーの進歩と実装は、多様な上部構造をもつ世界における共通目標・共通善としてグローバルに展開していく。

健康を実現するためには、医学的治療のみならず、個人の生活による予防も求められる。とりわけ経済的に余裕がある者は、毎日の食事や運動に気を使い、免疫力を高め、肥満や生活習慣病にならないライフスタイルを心がける。そのニーズに呼応して、欲望を換気する資本主義が、健康食品や健康サービス市場を拡大させる。健康であることは、健康そのものの利点の他にも、人格や美意識についての自己実現欲求や承認欲求を満たすものでもあり、欲望の増幅とともに理想的な健康像も拡大していく。その一例が、アンチエイジング（抗老化）という発想であり、「いつまでも若くて美しい身体」が理想化される。

誕生や死と同様、老いも生物の自然のプロセスである。しかし、老化は重篤な疾病に罹患する可能性を飛躍的に上昇させる「万病の元」でもある。それゆえ、素朴な善の遂行のために、アンチエイジングに関わるテクノロジーや商品、ライフスタイルによる長寿化や健康寿命の増加が推奨されることになる。現代社会は、老いや病や死を遠ざけることをよしとしている。ただし、病はともかく、老いや死は、生物の自然のプロセスとして受容されてはいる。すなわち、病のない人生は望んでも、秦の始皇帝のように不老不死を望むことはないし、むしろそれを否定さえする。これは、目の前の老いと死を避けつつ、将来の老いと死を受容するという矛盾にも見えるが、加齢を伴うさまざまな体験や環境が、徐々に拒絶を受容へと変化させていくと考えることもできる。しかし、そうした個人的な生の感覚や意識の変遷とは異なる位相で、「目の前の命と社会全体の健康」に寄与するためのテクノロジーは急速な進展を続けていく。

テクノロジーの進展の担い手のなかには、予防や健康増進の終着点として、明確に不老不死を目的とする者もいる。しかもそれは、フランケンシュタイン博士のようなマッドサイエンティストではなく、大学の研究機関や政府系機関、グーグルなどの巨大企業であり、経済的な利益さえ見込んでいる。ただし、彼らが目指すのはＳＦ作品で描かれるような不老不死ではない。爆発で粉々になった身体の破片が少しずつ再集結して生き返るということは実現し難いだろう。彼らが主として目指すのは細胞の分化や死滅を防ぎ、人間から老化と寿命という概念を取り去ることである。病気や老衰で死ぬことがないということは、「死ねない」ことではない。自殺であれ大事故であれ、死ぬ可能性は残っている。このような状態を神々の特徴である不死（immortal）と区別して、非死（amortal）と呼ぶ(5)。

アモータルを明確に意識して活動している人々の動機は、「死にたくない」、「いつまでも健康で美しくいたい」という素朴な感情や、「大切な人を失いたくない」、「死の苦しみや悲しみのない平和な世界をつくりたい」といった素朴な善意からきている。そしてこのようなアモータリズムの行動原理は、医療従事者と何も変わらない。不老不死の手術を望まなくても、今、死なずに若く健康になるための手術ならば何度でも受けるだろう。それは不老不死を求めることと結果的には同じである。しかもそれは社会的な善であり義務でもある。医療化した社会で「目の前の命を救う」、「健康な社会をつくる」という素朴な善意を自らの価値観として優先して行動する人々は、自覚なきアモータリズムのなかにいるのだ。

現代人は無自覚に、死に抗うための情報や行動に関心をもつ。それらを提供するのは科学や技術であり、資本主義はその関心を消費欲求に変換し、その推進力が新たなテクノロジーと欲求をつくりだす。アモータリズムは根源的欲求の延長であるがゆえに、市場に無尽蔵の消費をもたらす。誰もアモータルを意識することがないままであっても、歴史はアモータルに突き進んでいる。

5　アモータリズムとニヒリズム

ハラリは、人類誕生からの歴史を概観した上で、ホモ・サピエンスは長らく苦しんでいた飢饉と疫病と戦争を克服し、その野心は不死と幸福と神性の獲得を求める段階にきていると分析する。科学と技術が、欲望、意識、幸福を含む人間ないし生命の活動を生化学的なアルゴリズムとして解読・管理することによって、ホモ・サピエンスは身体的健康以上の能力を獲得し、ホモ・デウス（神）へとアップグレードする。そしてハラリは、あらゆるものがデータ化され、アルゴリズムとして解釈されるとき、信仰、自由、自己、ヒューマニズムといった価値基準の虚構性が暴露されると予見する。

目の前の命を救う担い手も、やがては人工知能とロボティクスに移行する。医師の職業や地位を守るために、救命率に劣る人間の手技に頼ることは誰もしない。テクノロジーは、救命どころか、個々人に適したオーダーメイドの幸福や欲求さえも提供するだろう。投薬や仮想空間がもたらす幸福は、かつて人類が経験したことのない至福を、安心安全かつ持続的にもたらしてくれるかもしれない。

こうしたテクノロジーの未来予想図に対して、われわれはどのような態度をとるべきなのか。生権力に対し戦いを挑み、森岡が述べるように、自己家畜化、無痛化する文明社会のなかで、「身体の欲望」という根源的欲求を超出し、不確実性と苦悩を伴う「生命の欲望」を保持する戦士となるべきか。しかし、目の前の命を救い、社会全体の健康増進という世界共通の善を実現するテクノロジーに対して、哲学者の声はあまりにも無力である。イデオロギーにできることは、この素朴な善行の範囲内でベクトルを調整することぐらいなのかもしれない。

神なきニヒリズムの時代に、人間に「べき」を語るのは、肉体からの根源的欲求と、その増幅装置としてのテクノロジーや経済ばかりである。神による死後の物語に代わり、医療化した社会は、死や老いは克服すべき病理であると宣言する。(6) ニヒリズムはアモータリズムを必然に導く。こうした世界にあるのは、多様性のなかでも共有しうるような、極めて素朴で凡庸な善と悪である。この素朴な善悪の上に今なお存在している文化や個人に固有の善悪は、動かし難く展開してく多様性とテクノロジーによってやがて霧消するだろう。

ただし、生命には限界がある。無論、それは死にゆく運命(mortality)のことではない。アモータルには完成があるということだ。すなわち目の前の命と社会全体の健康を確保すること、あるいは人間のもつ能力を発揮することには、上限がある。アモータルへの漸進的なプロセスは、その推進力である根源的欲求が慢性的に満たされたときに停止する。そのときに人間は何を求めるのか。あるいはそのとき人間は人間であり続けるのか。今世紀中に訪れるであろうそのときこそ、ニーチェが予言した、肉体と大地に忠実に生きた人間に到来する、徹底したニヒリズムなのかもしれない。

註

(1) ただしこれについても、大規模災害時の重傷者のトリアージや、安楽死・尊厳死などの例外事象がある。安楽死・尊厳死では生命の神聖さ(Sanctity of Life)を第一に考え、救える命は可能な限り救おうとする延命主義に対して、生命の質(Quality of Life)を重視して延命をしないという考え方が次第に認められるようになった。

(2) 日本では1975年以来、病院死が在宅死を上回り、2005年には82・5パーセントとピークに達し、その後は在宅ケアの環境整備が進み、わずかながら下降している。

（3）ただしイリッチや現代のさまざまな反医学思想は、西洋医学が不要ないし不利益をもたらしているということをデータから「医学的に」示すものでもある。

（4）国家が国民の命を守ることは義務であるが、国家全体の利益のために、間接的に死の中へ廃棄される一部の人間も存在する。アガンベンはホモ・サケルという概念を用いて、古代ローマ時代から存在するこうした人々の「剝き出しの生」を分析している。

（5）アモータルとはどのような状態であるかの定義はない。身体を伴わず、脳だけ、あるいは情報だけを保存することをアモータルの実現とする場合もある。

（6）シンクレアは「老化は病である」とすることの医学的妥当性を示しつつ、この定義によって老化研究が設備的、資金的にも充実し、結果的に社会全体の健康寿命を延ばすと主張する。

参考文献

Frank, Johann Peter, *System einer vollständigen Medizinischen Polizei*, Nabu Press, 2012(1779)

ミシェル・フーコー『性の歴史Ⅰ――知への意志』渡辺守章訳、新潮社、1986年（原著、1976年）

ミシェル・フーコー『臨床医学の誕生』神谷美恵子訳、みすず書房、1969年（原著、1963年）

小松美彦『生権力の歴史――脳死・尊厳死・人間の尊厳をめぐって』青土社、2012年

市野川容孝『身体／生命』岩波書店、2000年

イヴァン・イリッチ『脱病院化社会――医療の限界』金子嗣郎訳、晶文社、1979年（原著、1976年）

ジョルジョ・アガンベン『ホモ・サケル――主権権力と剝き出しの生』高桑和巳訳、以文社、2003年（原著、1995年）

ニーチェ『悦ばしき知識』信太正三訳、ちくま学芸文庫、1993年（原著、1887年）

ユヴァル・ノア・ハラリ『ホモ・デウス――テクノロジーとサピエンスの未来』（上・下）柴田裕之訳、河出書房新社、2018年（原著、2015年）

森岡正博『無通文明論』、トランスビュー、2003年

デビッド・A・シンクレア＋マシュー・D・ラプラント『LIFESPAN 老いなき世界』梶山あゆみ訳、東洋経済新報社、2020年（原著、2019年）

第4章

生命認識の捻れと逆説

――ゾーエーとビオスの視点から

小松美彦
KOMATSU Yoshihiko

1―はじめに

2021年2月現在においても先行きの見えぬ「新型コロナウイルス感染症」の猛威は、私たちの自己認識に少なくとも二つの変動をもたらしているように思われる。

一つは、自分の生命が自分だけでは完結していないという自然の摂理に、多くの者が気づかされたことである。他者からの感染に恐怖する私たちは、自分の生命そのものが他者の生命の様態（感染の有無）に直結していることを体感したのではないだろうか。しかもまた、家庭内感染に見舞われてしまった者は、自分たちが家族の一員であるだけではなく、家族という名の「生命共同体」の構成素でもあった現実を体得したのではないだろうか。

もう一つは、「ソーシャル・ディスタンス」（社交距離）なる語が私たちに浸透したために、自分自身の空間的な拡がり具合の意識にも、おそらく揺らぎや変容が生じていることである。私たちは従来、皮膚よりも内側が「自分」であると漠然と思い込んできた。しかし、安全な社交距離が2メートルであるなら、その半分までが自分の領分であり、ひいては「私」に他ならないという意識を、私たちはもちつつあるのではないか。そして、このような自己の1メートルほどの拡張とは裏腹に、これまでことさら意識されないできた自己の膨縮運動――いかなる場に誰といるかに応じて自然に生じていた自己の膨張と収縮――が阻害され、自己の拡がりはむしろ固定される傾向にあるのではないか。WHOは20年4月、「ソーシャル・ディスタンス」の語がもつ負の影響――他者との社会的な繋がりを断たねばならないとの誤解を招く――を懸念し、「フィジカル・ディスタンス」(物理的距離)への言い換えを推奨したが、この変更によって、周囲空間の肉化(フィジカル化)とその固定は、むしろ程度を増しているようにすら思われるのである。

ただし、本稿が主題とするのは、以上のような自己認識の変動や揺動ではない。そうではなく、この自己認識にも密接に関わっているはずの生命認識の問題である。コロナ禍の現在にあって、従来は十分に掌握されてこなかった生命の認識の仕方とそれにまつわる問題が、見え隠れしているように感じられるのである。そこで、古代ギリシアの二つの生命概念、すなわちゾーエーとビオス(後述)を視軸に、そのいくつかの局面を顕わにしてみたいと思う。具体的な考察は、世界的に物議をかもしたジョルジョ・アガンベンの新型感染症をめぐる見解(第2節、3節)、近年の諸場面でみられる主張や姿勢(第4節)、コロナ報道に掻き消された相模原障害者殺傷事件の犯人の言説(第5節)、これらをもとに行う。

2 アガンベンの生命認識Ⅰ——ゾーエーのビオス化

過去四半世紀にわたって世界の思想界を牽引してきたと言えるアガンベンは、新型コロナ感染症に関する論考を、かなり早い段階で公表した。「エピデミックの発明」(2020年2月26日)、「感染」(3月11日)、「説明」(3月17日)である。[1] これらの主旨は一貫しており、主著『ホモ・サケル——主権権力と剝き出しの生』[2] での自説を現況に適用したものに他ならない。すなわち、新型感染症を口実に「例外状態」が政府とマスメディアによって創出され、人々の生活・労働・自由が幾重にも制限されていることに対する批判である。さらには、かような例外状態の常態化への危機意識の表明である。かくてアガンベンは、すでに例外状態のなかで生きることに慣れてしまった人々を、こう悲嘆したのである。「自分の生が純然たる生物学的なありかたへと縮減され、社会的・政治的な次元のみならず、人間的・情愛的な次元のすべてを失った、ということに彼らは気づいていないのではないかと思えるほどである」[3]、と。

しかし、イタリアの哲学者のこうした見解は、当の感染症が「毎年繰り返されるインフルエンザとそれほど違わない」[4] とする認識に基づいていた。つまり、執筆当時にあって、新型コロナによる致死率がインフルエンザの10〜30倍と目されていたこと、それればかりか、この悪疫には特効薬もワクチンも皆無であること、アガンベンはこの重大事を弁えていなかったと思しい。しかも、かかる誤認は第一論考で明言されたものだが、イタリアが危機的状況に陥った只中でも、当初と同様の持論を繰り返したのである。かくして、批判が沸騰した。フーコーの著作『社会は防衛しなければならない』をもじり、「社会はアガンベンから防衛されなければならない」という揶揄まで登場したとのことである。

以上のような事態は、そもそもアガンベン自身の生命認識に淵源するように思われる。しかも、現在の日本においても、批判的論者にはアガンベンと同種の生命認識が潜んでいる場合が少なくないように見受けられる。そこで、アガンベンの生命認識を掘り下げて考えてみよう。

アガンベンは、『ホモ・サケル』の冒頭において、現代人が「生《ヴィータ》」という言葉で了解している内容を、古代のギリシア人は「ゾーエー zōē」と「ビオス bios」との二つの言葉で区別していたことを論じた。アガンベンによれば、前者は、「生きているすべての存在（動物であれ人間であれ神であれ）に共通の、生きている、という単なる事実」(5) のことであり、後者は、「それぞれの個体や集団に特有の生きる形式、生きかた」(6) のことである。要言すれば、ゾーエーは、人間が生物として「ただ生きていること」を、他方のビオスは、「善く生きる／悪く生きる」などの質を備えた「生き方」を、それぞれ表しているとアガンベンは捉えたのである（文脈上、人間のゾーエーとビオスに合わせて説明したが、動物にも両者が備わっている）。

晩年のセミナール「獣と主権者」（2001～03年）において、特にハイデガーの取り扱いの観点からアガンベンを徹底批判したジャック・デリダは、アガンベンによるゾーエーとビオスの区分・解釈自体を否定した。(7) だが、少なくともアリストテレスの両概念に照らすなら、上記の限りでのアガンベンの把握は妥当だと言えよう。しかも、デリダがアガンベンの所論を十分に理解したうえで批判しているのか、筆者は疑問を禁じえない。しかしながら、アガンベンにはやはり決定的な問題があるように思われる。それは、かかる区分・解釈から先の議論である。

前述のように、『ホモ・サケル』の冒頭で、ゾーエーは「ただ生きていること」として把握されていた。

しかし、ほどなく一種の「生き方」(ビオス)へと転じているように見受けられるのである。すなわち、ナチスのユダヤ人殲滅政策に関して次のように述べ、近代民主主義の限界を問うた場面においてである。「全力を傾けてゾーエーの解放と幸福に努めた民主主義が、そのゾーエーを先例のない破滅から救うことができなくなったのはなぜなのか」[8]。この一文の後半にある「そのゾーエー」とは、絶滅収容所で生ける屍として生を送るユダヤ人(「回教徒」)たちのゾーエー本来の意味ではあるまい。そうではなく、「ただ生きていること」というゾーエー本来の意味ではあるまい。そうではなく、ただのゾーエーとしてのみ生きるユダヤ人たちの「生き方」(ビオス)を指しているだろう。つまり、ここにおいて、ゾーエーがビオスへと転化しているのではないだろうか。

同様のことは、『ホモ・サケル』における最重要概念、「剝き出しの生」についても言える。当初、剝き出しの生はゾーエーと同義であった。その初出箇所では、ミシェル・フーコーとハンナ・アーレントの超克を宣言する文脈で、こう述べられている。「ポリスの圏域にゾーエーが入ったということ、つまり剝き出しの生そのものが政治化されたということは、近代の決定的な出来事をなしており、古典的な思考の政治的・哲学的な諸範疇が根源的にしるしづけられている」[9]。ここでは「ゾーエー」の語が「剝き出しの生」の語に置換されている以上、両者を同義と解釈するのは自然であろう。実際、それ以降も、その意味で剝き出しの生が論じられていると読みうるのである。

ところが、「締め出し」(包含的排除・排除的包含)という権力機構の分析に議論が進むと、突如として新たな規定が登場する。すなわち、剝き出しの生(「聖なる生」)とは、「政治的なビオスでも自然的なゾーエーでもなく、ゾーエーとビオスが包含しあい排除しあうことで互いを構成する不分明地帯なのだ」[10]、と。

このように、他ならぬアガンベン自身が、〝剝き出しの生はゾーエーではない〟と言明しているのである。では、剝き出しの生とは、はたして何であろうか。

それは、「ただ生きている」という「生き方」のことに他なるまい。「ただ生きていること」ではない。これでは、剝き出しの生とゾーエーとが同義となり、アガンベンが明確に否定した把握になってしまう。あくまでも、「ただ生きている・という・生き方」のことであろう。しかもまた、剝き出しの生は単なるビオスでもない。というのは、そもそもビオスが、善きにせよ悪しきにせよ、あるいは他の形態にせよ、何らかの質を有した生き方であるのに対して、剝き出しの生は、〝人間的な質〟をいっさい欠いた「ただ生きている・という・生き方」のことだからである。すなわち、剝き出しの生とは、人間がただの生物のゾーエーと同様のゾーエーとして、政治的に生きさせられる生き方であり、その意味で「剝き出し・の・生」なのである。アガンベン一流の修辞的表現——「包含しあい排除しあうことで互いを構成する不分明地帯」——の内容は、これ以外にはあるまい。

かくして、当初の意味でのゾーエー(ただ生きていること)がビオス化(生き方に転化)したものこそが、剝き出しの生に他ならない。剝き出しの生をゾーエーと同一視する論著が少なくないが、それらは、先の引用部分を看過し、また、常に「閾」(=「不分明地帯」)の観点から肝要な概念や事態を捉えるアガンベンの基本を失念したものであろう。

以上のように、『ホモ・サケル』においては、ナチスに言及した場面にせよ、剝き出しの生について論じた場面にせよ、「ゾーエーのビオス化」が生じているのである。そして、この事態は、アガンベンのそもそもの問題関心に起因するように思われる。

3｜アガンベンの生命認識Ⅱ——ゾーエーの消失とその帰結

アガンベンの主たる問題関心は、政治権力・宗教権力によって人々の生き方（「生の形式」）が統治・操作されてきた歴史的現況に対して、従来とは根本的に異なる「新たな生き方」（「〈生の形式〉」）を模索し、創造することであろう。事物を所有せぬまま使用するアッシジの聖人フランチェスの生き方を礼讃したのも、[11] あるいはまた、雇い主の要求に対して「しないほうがよいのですが」の返答を繰り返したバートルビーの生き方を絶讃したのも、[12] 来たるべき「人間の生き方」（〈生の形式〉）の端緒をそこに見出したからだろう。さらには、「事物の新たな使用」であれ、「無為という実践」であれ、「新たな政治」であれ、アガンベンの問題関心は徹頭徹尾、人間の生き方に、つまりはゾーエーではなくビオス（の様態）にあると言えよう。それが、透徹した批判的思想家アガンベンの核に他なるまい。

しかしながら、逆説的にもこの核にこそ、アガンベンの生命認識をめぐる元凶が伏在しているように思われる。すなわち、『ホモ・サケル』では、ゾーエーとビオスの弁別から議論を始めたにもかかわらず、かかる問題意識をもとに考察を進めることで、ゾーエーはビオス化し、しかも、そのため、純然たるゾーエーそのものが議論から消失しているのである。アガンベン自身の所説としては、ゾーエーがいっさい存在しないのである。しかも、この事態は、当の衝撃作にとどまらず、アガンベン自身の思考一般においても同様であるに違いない。そして、その結果、次の問題がさらに生じることになる。

そもそも、ビオスはいかなる形態であれ、ゾーエーなしには存立しえないはずである。ともかくも生きていなければ、いかなる生き方もありえないからである。生をゾーエーとビオスに二分するアガンベンの起点に倣うなら、ゾーエーなきビオスなど決して存在しはしない。この自明なはずの事態と理路が、アガンベンでは置き去りにされているのである。そして、まさにこの地点から、アガンベンは、権力下の人間の生き方を、とりわけ「剝き出しの生・という・生き方」を、乗り越えるべき否定的なものと捉えているのである。

顧みれば、コロナ禍の現在、例外状態のなかで生きることに慣れてしまった人々を、アガンベンは悲嘆したのであった。「自分の生が純然たる生物学的なありかたへと縮減され、社会的・政治的な次元のみならず、人間的・情愛的な次元のすべてを失った、ということに彼らは気づいていないのではないかと思えるほどである」(傍点引用者)、と。これは、とりもなおさず、コロナ禍での「剝き出しの生・という・生き方」に向けられた悲嘆に他ならない。実際、この章句の手前で、アガンベンはこうも述べているのである。「剝き出しの生——剝き出しの生を失うことへの恐怖——は人間たちを結びつけるものではない。人間たちの目を見えなくさせ、彼らを互いに分離するものである[13]」。

もちろん、こうした発言はアガンベンの必死の警告である。何よりも、それらを含む第三論考「説明」が次の一文から始められていることが、その絶望的なまでの危機意識を物語っているだろう。「この国はいまエピデミックによって、死者に対する敬意さえもはやない倫理的混乱のなかへと投げこまれている[14]」。

しかし、そうではあっても、ゾーエーをゾーエーそのものとして捉えるのではなく、ビオス化させ、「ゾーエー・という・生き方」として捉えてしまうところに問題があろう。換言するなら、〝死者に対する敬意を払った〟生き方も、アッシジのフランチェスコやバートルビーの生き方も、そして「剝き出しの生・という・生き方」ですら、ゾーエーそれ自体がなければ実在しえない。問題のすべては、純然たるゾーエーを置き去りにしていることに帰着するだろう。「社会はアガンベンから防衛されなければならない」という批判の根底には、批判者の自覚の有無は不明ながら、以上のようなアガンベンの生命認識が横たわっているのである。

付言するなら、小著『生権力の歴史——脳死・尊厳死・人間の尊厳をめぐって』[15]では、筆者自身も量りかねていたアガンベンの言説の真意も、もはや歴然としているだろう。すなわち、脳死者を「偽りの生体」[16]と、植物状態患者の生を「動きのある死」[17]と、そして、アウシュヴィッツで「生き残らされた」ユダヤ人（「回教徒」）を「非—人間という悪夢」[18]と、いずれも否定的に形容したアガンベンの真意である。「生が純然たる生物学的なありかたへと縮減された」これらの者たちに対する形容は、本稿の議論を踏まえるなら、字義どおりに受け取って差しつかえあるまい。

4　ゾーエーとビオスをめぐる社会的諸相

ゾーエーとビオスをめぐる生命認識の問題は、アガンベンにとどまらない。筆者は、先にこう言及しておいた。「現在の日本においても、批判的論者にはアガンベンと同種の生命認識が潜んでいる場合が少なくないように見受けられる」、と。

それは、たとえば、コロナ禍での最大問題を、概して「国権や管理体制の強化」とする論者である。これらの人々が真に恐れるのは、つまるところ、そうした体制下で生きること／生かされることであろう。〝生きるか死ぬかの極限下〟で、アガンベンと同じく、コロナで命をさらわれること以上に生き方が、すなわち、ゾーエーよりもビオスが重視されているのである。もし、新型感染症の危険がそこまで差し迫ったものではないと言うなら、その把握もまたアガンベンと同様であろう。

かような生命認識は、コロナ問題以外でも、むしろ体制に批判的な者たちに目立つようである。たとえば、2019年に出版された『続・全共闘白書』[19]のアンケート結果においてである。同書は、60年代後半の全共闘運動に参加した人々に対する75の質問への回答集であるが、意外にも、こうした書籍にも同様の認識が具現している。

まず、回答者の現在の基本意識は、次の二つの質問に対する選択式回答の巻末集計から把握できよう。すなわち、「かつて全共闘あるいは何らかの政治社会運動に参加したことをどう思っていますか」の質問に対しては、回答総数429人(複数回答可)のうち、「誇りに思っている」＝310人(69・5パーセント)。「懐かしい」＝57人(12・8パーセント)、「気にしていない」＝13人(2・9パーセント)、「若気の至りと反省」＝4人(0・9パーセント)、「その他」＝45人(10・1パーセント)であり、肯定的な自負の回答がほぼ70パーセントに達している。また、「もう一度「あの時代」に戻ることができたら、どうしますか」の質問に対しても、同様の傾向がみられ、回答者432人中、299人(67・0パーセント)が「また運動に参加する」と答えており、「しない」は10人(2・2パーセント)にとどまっている。したがって、元・全共闘の回答者の大半は、当時の意識を持続しているか、少なくとも枯渇させていない体制批判者だとみてよいだろう。

以上のうえで、生命認識に関係する回答結果に目を移してみよう。すなわち、「治る見込みがなく死期が迫っていると告げられた場合、延命治療をどうされますか」への回答である。五択の回答結果（総数４３８人）は、「絶対に望まない」＝２１４人（48・０パーセント）、「どちらかというと望まない」＝１７０人（36・１パーセント）、「わからない」＝36人（５・１パーセント）、「望む」＝８人（１・８パーセント）、「その他」＝10人（２・２パーセント）であり、「絶対に望まない」と「どちらかというと望まない」を合わせると、実に84・１パーセントに及んでいる。それに対して、「望む」は１・８パーセントにすぎない。

さらには、管見の限り、この質問に対して回答を拒否した者はたった1名、質問自体を「ナンセンス！」と指弾した者も1名だけである。前者は、元・東大全共闘の近藤（長谷川）ゆり子氏（年金生活者〔市民活動家〕）であり、回答拒否の理由を添えている。「「延命治療拒否＝尊厳死」という考え方が、人工呼吸器を使って生きている患者を苦しめているので、答えたくない」[20]。また、後者は、同じく元・東大全共闘の阿部知子氏（衆議院議員・小児科医師）であり、まさに本稿に直結する長文の批判を寄せている。そして、この批判を通じて、阿部氏自身（や近藤氏）と他の大半者の生命認識が顕現するのである。

問31〔右の質問〕に至ってはここに記載し質問すること自体、設問者の見識を疑う。「治る見込みがなく」「死期が迫っている」とはあまりにも恣意的かつファジーな（即ちどうにでもなる）問いで、こうした言い方で死ぬことを早められ、透析すら受けられず40代の女性が亡くなっていったのはつい最近の事である（＝公立福生病院事件）。おまけに今回国会に当選された「ＡＬＳ」（難病）や重度障害の方も「治る見込み」はないし、前者は呼吸器がなければ「延命」できない。後者は誰かの介助がなければ生存できないのだから、ただ「生きている」ことを当たり前に保障する社会がまず前

提であるべき。[21]（傍点引用者）

ここでは、「ただ「生きている」こと」を当たり前に保障する社会がまず前提であるべき」と断じているように、阿部氏はまさしくゾーエーを最大重視しているのである。そして、その生命認識のもとに、「治る見込みがなく・死期が迫っている」状態で生を送るビオス（生き方）を否定的な意味合いで取り扱うこと自体を、「ナンセンス！」と弾劾したのである。

この視座から振り返れば、回答者の大半が〝延命治療〟を望まないとした内実も判然とするだろう。彼ら／彼女らは、〝延命治療〟に支えられて「ただ「生きている」こと」つまりゾーエーよりも、そのような状態で生きる生き方・ビオスを重視し、かつ否定しているのである。さらに言うなら、そもそも、「全共闘運動に参加したことをどう思うか」「あの時代に戻れたらまた参加するか」という質問自体が、「生き方」（ビオス）を問うた質問に他ならない。そして、おそらく回答者の大半は、アガンベンと同様、そのビオスがゾーエーに支えられていることを省みないまま、自負心をもって「ウイ」と応えているのである。ちなみに、全共闘運動が黄昏を迎えていた1973年、映画《女囚さそり》で主人公松島ナミ役を演じた梶芽衣子は、こう歌ったのではなかったのか。「死んで花実が　咲くじゃなし　怨み一筋　生きて行く　女おんな　女いのちの怨み節……」。

翻ってみるなら、ゾーエーをビオスの絶対的な必要条件と捉え、しかも、「良きゾーエーなき良きビオス」など存在しえないと認識している人々がいる。先端医療やバイオテクノロジーの恩恵を望む人々である。臓器移植の実際の目的が延命それ自体ではなくクオリティ・オブ・ライフ（生活の質）の向上であることや、ゲノム編集はもとよりエンハンスメント（体力・知力増強）の目的論理を考えてみればよいだろう。イギリスの社会学者ニコラス・ローズは、こうした実状を次のように纏めている。「良き生――ビオス――についての問いは、本質的にわれわれの動物的生――ゾーエー――の生体プロセスの問題にもなった。ビオスの形式が論争の主題を構成するようになったために、生そのものが〔……〕、現在ではわれわれの中心的論点となっているのである」[22]。

しかしながら、ゾーエーの真の重要さとビオスとの関係を最も弁えているのは、唐突にして逆説的に感じられるだろうが、確信的な殺人者たちであるように思われる。その代表的人物が、「相模原障害者殺傷事件」の犯人・植松聖死刑囚である。そこで、本稿の最後に、彼の殺害論理と犯行後の心情の分析を通じて、その生命認識について考えてみよう。

5― 植松聖死刑囚の論理と心情

まず、相模原障害者殺傷事件とは、２０１６年7月26日に神奈川県相模原市の知的障害者施設「津久井やまゆり園」で、43名の知的障害者と2名の職員が殺傷された事件である。殺害された19名はすべて知的障害者であった。犯人は元・やまゆり園職員の植松聖死刑囚（当時26歳）であり、２０２０年３月31日、第一審のみで死刑が確定している。３月16日の死刑判決に対して弁護人が控訴したものの、植松死刑囚みずからが控訴を取り下げ、同月31日の控訴期限切れをもって死刑が確定したのである。

管見によれば、この未曽有の知的障害者殺傷事件には二つの重要な特質がある。一つは犯行動機の特異性であり、また一つは、植松死刑囚が犯行直後から謝罪しつつも、犯行自体は裁判の最後まで正当化し続けたことである。そして、そこにこそ、先述した生命認識――「ゾーエーの真の重要さとビオスとの関係を最も弁えている」――が、底流しているように思えるのである(以下、小著『増補決定版「自己決定権」という罠――ナチスから新型コロナ感染症まで』[23]も参照されたい)。「犯行動機の特異性」から見ていこう。

事の発端は、事件の約5ヶ月前の2016年2月15日、植松死刑囚が大森理森《ただもり》衆院議長宛(元来は安倍晋三首相宛)の手紙を公邸に持っていったことである。そこには次のような際立った内容が含まれていた。

私は障害者総勢470名を抹殺することができます。〔……〕理由は世界経済の活性化、本格的な第三次世界大戦を未然に防ぐことができるかもしれないと考えたからです。障害者は人間としてではなく、動物として生活を過ごしております。〔……〕私の目標は重複障害者の方が家庭内での生活、及び社会的活動が極めて困難な場合、保護者の同意を得て安楽死できる世界です。

植松死刑囚は、この手紙の提出を機に精神病院に措置入院となり、その間に安楽死ではなく実際に殺害することを考えはじめ、5ヶ月後に凶行に及ぶのだが、逮捕後も公判中も、「人類の幸福と世界平和」のために「心失者」(=心神消失者=重複障害者)を抹殺すべきとする持論を曲げなかった。では、なぜ殺害の対象は心失者なのか。植松死刑囚によれば、そもそも人間の定義とは、「自己認識ができる」、「複合感情が理解できる」、「他人と〔気持ちを〕共有できる」ことであり、心失者はこの定義を満たしていないからである。[24] つまり、この意味で、「〔重複〕障害者は人間としてではなく、動物として生活を過ごして」いるからである。本稿の言葉に置き換えるなら、植松死刑囚は、「動物として生活を過ごして」いる重複障害者のビオスが、とりもなおさず「剝き出しの生・という・生き方」が、断じて許せないのである。こうして、人類の幸福と世界平和のために、心失者43名の殺傷に至ったのである。

以上のように、犯行動機は、植松死刑囚なりの大義と〝論理〟に基づく特異なものに他ならない。そして、この特異性は、事件の第二の特質――「犯行直後から繰り返し謝罪しつつも、犯行自体は裁判の最後まで正当化しつづけたこと」――に繫がっている。

植松死刑囚は、犯行直後に自首し、取り調べの冒頭で遺族に対して謝罪の言葉を述べている。だが、当初、マスメディアはそれを報じなかった。しかも、しばらく後に報じたさいも、謝罪の相手が殺害した心失者たちではなく、遺族であることを明らかにしなかった。明らかになったのは、事件の1年以上後に月刊誌『創』に掲載された「手記」によってである。そこには、こう記されていた。「そこで〔取り調べの〕第一に、遺族の皆様に対して謝罪の言葉をお伝えしました。／心失者を殺すことは人類にとって正しい判断ですが、それまで人生の多くを費やしてきた家族を、ふいに殺されては遺族の心を傷つけると考えたからです[25]」。

このように植松死刑囚は、犯行後ただちに遺族への謝意を示しているのであるが、それは、「それまで人生の多くを費やしてきた家族を、ふいに殺されては遺族の心を傷つけると考えた」と述べるように、或る者〔心失者〕のゾーエーが他の者〔遺族〕のビオスに連なっていることを弁えているからであろう。つまり、遺族のビオスが遺族自身のゾーエーだけではなく、殺害された肉親のゾーエーによっても支えられてきたことを弁えているからであろう。ただし、逮捕直後のこの心情にすでにみられるように、遺族への謝意はもちながらも、殺害行為自体は正当化しているのである。通常は矛盾に感じられるこの心情には、重要な生命認識が潜んでおり、公判になるとそれが姿を現す。

２０２０年1月8日に始まった公判では、植松被告（公判時に関しては「被告」の語を用いる）は冒頭から「皆さんに深くおわびします」と謝意を表明した。しかも、身をもって示すために、小指を嚙み切ろうとした——取り押さえられたが、翌日に拘置所内で決行している。(26) ここで重要な点は、謝罪が遺族や被害者家族だけではなく、殺害した心失者に対してもはじめて向けられたことである。この点については、第10回公判（2月5日）で、植松被告自身が、〝謝罪は誰に対してか〟の質問に対して、「みなさまです。亡くなられた方、家族、自分のせいで迷惑をかけたすべての人」と明言している。(27)

ただし、さらに重要な点は、植松被告が「申し訳ないが、仕方ない」という正当化の言葉を公判で繰り返したことである。はたして、この言葉は遺族らには矛盾にしか聞こえず、憤怒を昂進させることとなった。たとえば、死刑判決が下された日、被害者家族の一人は次のコメントを発している。「接見すると、「謝罪する気持ちはある」と言いつつ、「家族に申し訳ないけど殺したのは仕方ない」と矛盾したことを言う。全公判見ましたが、少しでも謝罪や反省の気持ちが見えるかと思ったが、一度も見えなかった」(28)。

しかしながら、管見によれば、「申し訳ない」も、「仕方ない」も、いずれも植松被告の本心であろう——己の小指を己自身で嚙み切ること自体が並大抵のことではない！　顧みれば、そもそも植松被告にとって許せないのは、心失者のビオスであった。人類の幸福と世界平和のためには、「人間の定義」から逸脱したビオスをすべてこの世から抹消することこそが当為なのであった。しかし、ビオスを抹消するためには、ゾーエーを奪うしか術はない。ゾーエーを奪うことによって、はじめてビオスは抹消できるのである。それゆえに、命（ゾーエー）を奪ったことは当人にも遺族にも「申し訳ない」が、しかし、「仕方ない」となるのである。植松被告は、この論理をうまく言い表せなかったため、「仕方ない」の言葉を繰り返したが、論理としてはそうなっていたはずである。

思うに、「申し訳ないが、仕方ない」は、植松被告にとって精一杯の表現であっただろう。それは、そもそもゾーエーとビオスとが分かちがたく結びついているという、不条理な現実に由来する限界だったはずである。ただし、この不条理に苛まれ続けた彼は、ゾーエーの真の重要さとビオスとの関係を、かなり覚知していたのではないか。ことに、弁護人の控訴をみずから取り下げて死刑囚となった今は、そうであるように思えてならない。

もちろん、植松死刑囚の蛮行は決して許されることではない――その死刑執行に対しても同様に考える。だが、しかし、あまりにも逆説的なことだが、大義を掲げて殺人を断行した確信犯のなかにこそ、ゾーエーの真の重要さとビオスとの関係を弁えた生命認識が存在するように思われるのである。

そしてさらには、この把握を基点に、歴史上の確信犯たちの生命認識が浮上することになる。すなわち、浅沼稲次郎社会党委員長刺殺事件[29]、二・二六事件、五・一五事件、血盟団事件等々の、確信的な殺人者たちの生命認識である。たとえば、1932年2月9日の第一次血盟団事件において、大義を胸中に大蔵大臣・井上準之助を暗殺した小沼正は、覚悟の決行を前に、暗殺する者と己の御霊に祈りを捧げているのである。「これから私の手によって倒されるであろう人と、その人とともに、この娑婆世界より自ら消えていくであろう自分自身のために、私は法華経の功徳を回向した[30]」。

6 おわりに

以上、考察してきたように、ゾーエーとビオスという古典的な概念を視軸とすることで、現在の茫漠とした生命認識の在りようと、それにまつわる問題が浮上する。すなわち、「ゾーエーのビオス化」、「ゾーエーの消失」、「体制批判者のゾーエー軽視／体制順応者のゾーエー重視」、「確信的殺人者によるいずれもの絶対重視」等々、現在の生命認識に潜在するさまざまな捻れや逆説が顕わになるのである。植松死刑囚の殺害論理と心情の実体も、当の二概念を光源とすることで、はじめて照らし出されたのではないだろうか。

このような見方を生命倫理学へと拡げてみると、人間の生命を「生物的生命」と「人格的生命」に二分し安楽死などを正当づけた「パーソン論」は、「ゾーエー／ビオス」の二元論の焼き直しにすぎないことが分かるだろう。また、近年の日本の臨床死生学で、やはり安楽死の推進装置として勢いをみせている「生物学的生命／物語られるいのち」なる美しき二分法も、パーソン論と同じ系譜にあることが瞭然とするだろう。

顧みれば、そもそも、『霊魂論』において、「生きること to zēn」すなわち「ゾーエー」とその根本原理を探究したアリストテレスは、『政治学』においては、「生きること to zēn」と「善く生きること to eu zēn」とを対立させ（1252b）、国家と「最善のビオス airetōtatos bios」との関係について論じた（1323a–1324a）。しかし、結局はゾーエーとビオスとの関係を究めることはなかったと思しい。そしてまた、存在者（石・動物・人間）の存在様態の異同を「世界」や死との関係で存在論的に討究したハイデガーも、畢竟、人間のビオス（存在様態）について生成論的に討究したのであり、そこでは「現前の生きていることそのもの」（ゾーエー）が、ビオス化ないし消失しているように思われてならない。[31]

かくして、ゾーエーとビオスを視軸とすることで、私たちは生命をめぐってアリストテレスの二元論のなかにとどまり続けていること自体が浮上するのである。

註

（1）ジョルジョ・アガンベン「エピデミックの発明」「感染」「説明」、『現代思想』２０２０年5月号、高桑和巳訳、青土社。
（2）ジョルジョ・アガンベン『ホモ・サケル――主権権力と剝き出しの生』高桑和巳訳、上村忠男解題、以文社、２００３年。
（3）同書、20～21頁。
（4）同書、10頁。
（5）同書、７頁。
（6）同上。
（7）ジャック・デリダ「第12回セミナール　２００２年3月20日」、『獣と主権者［Ｉ］』西山雄二・郷原佳以・亀井大輔・佐藤朋子訳、白水社、２０１４年。
（8）アガンベン、前掲『ホモ・サケル』、19頁。
（9）同書、11頁。
（10）同書、１３０頁。
（11）ジョルジョ・アガンベン『いと高き貧しさ――修道院規則と生の形式』上村忠男・太田綾子訳、みすず書房、２０１４年。
（12）ジョルジョ・アガンベン『バートルビー――偶然性について』高桑和巳訳、月曜社、２００５年。
（13）アガンベン、前掲『現代思想』、20頁。
（14）同上。

(15)拙著『生権力の歴史——脳死・尊厳死・人間の尊厳をめぐって』青土社、2012年。
(16)アガンベン、前掲『ホモ・サケル』、225頁。
(17)同書、253頁。
(18)ジョルジョ・アガンベン『アウシュヴィッツの残りのもの——アルシーブと証人』上村忠男・廣石正和訳、月曜社、2001年、209頁。
(19)続・全共闘白書編纂実行委員会編『続・全共闘白書』情況出版、2019年。
(20)同書、241頁。
(21)同書、223頁。
(22)ニコラス・ローズ『生そのものの政治学——二十一世紀の生物医学、権力、主体性』檜垣立哉監訳、小倉拓也・佐古仁志・山崎吾郎訳、法政大学出版局、2014年、162頁。一部改訳。
(23)拙著『増補決定版「自己決定権」という罠——ナチスから新型コロナ感染症まで』現代書館、2020年。
(24)「獄中の植松被告から届いた手紙」、『創』2017年9月号、創出版、28~30頁。
(25)植松聖「相模原障害者殺傷事件被告 獄中手記!」、『創』2017年11月号、創出版、29~30頁。
(26)「相模原事件裁判報告(1)」、『創』2020年3月号、創出版、66頁。
(27)雨宮処凜『相模原事件・裁判傍聴記』太田出版、2020年、129頁。
(28)同書、180頁。
(29)拙著、前掲『増補決定版「自己決定権」という罠』参照。
(30)小沼正『一殺多生——血盟団事件・暗殺者の手記』読売新聞社、1974年、389頁。
(31)ハイデガーの生命把握については、次の拙論で批判的検討を試みた。小松美彦「科学的生命観の歴史的再構成——ハイデガー生命論の討究のために」、『電子ジャーナルHeidegger Forum』第15号、近刊。

第5章 性というパフォーマンス

――性の原則と変容、マジョリティ

稲垣 諭
INAGAKI Satoshi

1―性の原則

問われなくても当然のようにそれと生きているのに、問い始めると途端に分からなくなるものは、アウグスティヌスが述べた「時間」だけではない。実は無数にある。「性」という経験もそれである。sexやgenderに関わる「性というもの（sexuality）」が一体何であるのか、それら概念のネットワークをどのような経験の実質が貫いているのかは簡単に決まらない。自然界から人間社会にわたって、広く生命活動の特殊さと彩りを与えているものが性であり、そこには無数のバリエーションと関係性がある。

それら性という経験に可能な限りの共通項をみつけることはできるのか。しかもそうすることで、性そのものが自在さを手に入れ、これまでとは異なるパフォーマンスを発揮することにつなげられるのか。だが気をつけねばならい。フーコーを持ち出すまでもなく、これまで性は人間においては秘められ、隠されるものと思い込まれ、権力的な支配構造に組み込まれてもきた。だからそれについての語りは、スキャンダラスな卑猥さと冷笑さに遭遇し、それ自体が性的なものと認定され、矮小化されるリスクと暴力性を常に抱え込む。

これら「性」という経験をどのように理解したらよいのか。初めに想定可能な性の原則を取り出してみるが、ここでも多様な例外と越境する経験の不定形さが前面化する。

①性は、生殖にとっての疑似必要である
②性は、ある個体やその人間のアイデンティティの一部である（性別、性自認）
③性は、個体がそれを通して他個体を選好する手がかりの一つである（性的指向）
④性は、選好する他個体の美と性的快楽に関わる（美的選好）
⑤性は、他個体との性指向的な関係性を求める（性関係）
⑥性は、その社会におけるふさわしい行動や振る舞いとして規範化され、要請される（性役割）

これら①から④までの原則は、人間だけではなく、多くの生物にも当てはまると想定している。それに対して、⑤⑥は社会・言語活動を行う人間に固有な原則である可能性が高く、改めて人間にとっての「性」とは何かという大きな問いを浮上させる。本論は、こうした原則とともに「性」がどのようなパフォーマンスを行うものなのか、その経験の輪郭を浮かび上がらせるが、そのさい、姉妹編である別の論考「性というパフォーマンス（2）――性の語り、共同幻想、同意の現象学」も併せて参照していただきたい（姉妹という性がここにも入り込む[1]）。

では、以下それぞれの原則の内実を細かく見ながら検討してみる。

① 性は、生殖にとっての疑似必要である

進化的には、性は生殖に遅れて出現する。そのため生殖それ自体は「性」が関わらなくても可能である。無性生殖によって個体数を増加していた原核生物が、15〜18億年ほど前から「性」を含む「有性生殖」を取り入れ、真核生物へと進化したと想定されている。

これ以降、個体同士が接合し、遺伝子交換を行うか、多細胞生物が精子と卵子を体外か体内かで受精させ、出産が行われる。また、この有性生殖とともに細胞死を引き起こすアポトーシスがプログラム化され、分裂の限界が設定されることで、寿命が現れる。

性が、子を産む生殖と結びついて出現したことに間違いはないが、そのさいの性の意味は、主に生物学的な組成や構造に負うところが大きい。しかも哺乳類のような多細胞生物では、最低でも、「遺伝子の性（XX、XY）」、「細胞の性（卵細胞、精子）」、「生殖器の性（男性器、女性器）」、「脳の性」がそれぞれ異なり、とりわけ人間においてはトランスジェンダーやインターセクシャリティのように一個体のなかで性が一致せずモザイク状になる可能性があることを常に念頭におく必要がある。

そもそも生殖機能が失われようと、すでに確立された性が失われるわけではない。その意味でも生殖機能と性は独立である。閉経した女性が女性でなくなるわけではないし、生殖機能の障害は、体外受精や代理母といった医療技術によっても代替できてしまう。

一見、結びつきが強いようにみえる性から生殖を明示的に切り離しておく大きな利点の一つは、動物にとっての性と生殖の近さが、人間には当てはまらないからである。人間は性的には破格である。避妊をする動物はいないが、生殖を意図しない性的行為は多くの人間にとって常識である。だからといって、

動物個体が子を産むためや種の繁栄を「自覚して」性交を行っているというのでもないだろう。彼らは自分の快楽や他個体の美に促されそのつど性交を行うが、そのことが「すなわち」生殖の継続になっていることに気づかないだけである。

性には生殖活動に限定されない広範な領域があり、とりわけ人間にとっての生殖は、性の機能性の一つにすぎない。多くの哺乳類とは異なり、人間には繁殖期も、女性の受精可能性を示すマークもない。また、同性愛者における性的行為は生殖ではないが、後述する性関係として紛れもなく成立する。アセクシャルの人たちのなかには、生殖機能に何の問題がなくても、性的行為も生殖も行わない人がいる。または、生殖の結果としての子どもは欲しいが、性的行為に関心がない人もいる。

最後に、個体同士が生殖し、繁殖できるかどうかが、種の近縁／遠縁の範囲を境界づけると想定されている。ネアンデルタール人とホモ・サピエンスは交雑していたことが分かっているが、チンパンジーとホモ・サピエンスの異種交配は現在ではおそらく無理である（1920年代には失敗している）。とはいえ、600万年ほど前には、チンパンジーとホモ・サピエンスの祖先が交雑していたことも遺伝子解析から明らかになっている(2)。

オスのロバとメスのウマの交雑種であるラバは、紀元前から労働用に大量に生み出されてきたが、ラバ自身は不妊になる。種無しスイカもそのような不妊化の結果である。この交配可能性は、染色体数のマッチングの可否によって境界づけられるが、それが「生物学的種」を特徴づける特性の一つとなる（ただし亜種はスペクトラム状に広がる）。

②性は、ある個体やその人間のアイデンティティの一部である（性別、性自認）

動物が自らの性を自認しているかどうかは、どのような性の相手とメイティングするかによってでしか類推できないが、人間の場合は、自らの性をアイデンティティとして、ないしはアイデンティティの違和として体験し、言語的に主張できる。

トランスジェンダーでは、身体の性と性自認が一致しないと感じられる。この違和が強すぎる場合、性同一性障害の医学的診断を受けることで、ホルモン治療から陰茎形成や声帯の除去等による「性別適合手術」を選択することができる。日本では、毎年１０００人近くが法的な性別変更を行っているが、その半数以上が日本ではなくタイで手術を行っており、そのためのアテンドを行う性転師のビジネスモデルも確立されている。(3)

性自認は、多くの場合、３歳前後で明確になる。さらに第二次性徴期には精通や初潮等の身体の変化を通して、あるいは社会的な性役割圧力を通して性自認が強化される。ただし、そう簡単にはみずからの性の自認が確定しない、あるいはその不和を常に感じ続ける人たちも当然いる。この自認の不安定さが、ＬＧＢＴＱＩＡ＋という性的マイノリティの人々にとっては、正常性規範という社会圧力に晒されることでさまざまな葛藤や苦しみとなる。

先にも述べたように、人間における性自認の構築は、遺伝子、生殖器の形状、脳の性分化、家族や社会関係における療育や教育の影響といった複合的なものであり、この段階ですでに生物学的な性（sex）と社会的な性（gender）の明確な区分は困難になる。gender は sex からの影響を受けることは間違いないが、その sex の特定には何らかの gender 的なバイアスが含まれる。他方で、それでも「男性／女性」

という二つの圧倒的な多数派が、生物学的にも社会的にも残り続けてしまうのも確かである。

③ 性は、個体がそれを通して他個体を選好する手がかりの一つである（性的指向）

昆虫のなかには、メスのように擬態するオスがいて、それによって他のオスを騙し、その隙を狙ってメスと交尾するものがいる。その場合であっても、みずからの性がどのような性を指向するかはおのずと（非自覚的に）決まっている。異性愛であれば異性、同性愛であれば同性というように。ただし、人間の場合（動物でも一部）は、男女どちらの性も指向の対象となるバイセクシャルや、ヘテロな性や性そのものに関心のないアセクシャル、性を限定して指向することのないパンセクシャル等も存在する。フロイトが人間の幼児を、今では正しくないとしても「多型倒錯」だと述べていたのは、性的なものへの限定が後天的にのみ出現すると考えていたからであった。

また人間では、この性的指向、もしくは欲望の向かう先が犬や猫といった類を超えた「動物」である場合（動物性愛 zoophilia）や、思春期以前で射精や受精のできない子どもである場合（小児性愛 pedophilia）も存在する。どちらも社会規範や医学診断によって異常で病的なものとして括られ、性犯罪と安易に結び付けられたりもしてきた。ここには日本語での「指向」と「嗜好」の区別を何によって保証するのかという厄介な問題もあるが、そうした偏見や差別によって隠蔽されやすく、社会の水面下で命脈を保ってきた性的指向だと思われる。アメリカ精神医学会によるDSM-Vでこれらは、「性的倒錯・パラフィリア」の一種で、死体性愛、糞便性愛、浣腸性愛、尿性愛等と並べられている（ここには非生命に対する性的指向という問題も当然ある）。

ドイツで活動している動物性愛者（ズー）の権利保護を訴えるZETA（男性が圧倒的に多い）という団体は、法人格をもつ団体申請を「良俗に反する」として二度却下されている。[4] 所属するメンバーは活動が公になった後に、激しい中傷や嫌がらせなどの被害に遭ってもいる。ズーを調査している濱野が言うには、ZETAは現在では「セクシュアリティ解放団体というより自助グループ」に近いものになっている。その意味でもインターネットの普及が匿名の人々を結びつけ、コミュニティや性の多様性を視覚化してくれている現状もある。

また、この性的指向には、指向する性の相手や対象への「性的欲望」が伴うことが普通である。しかもこの欲望は、指向する性の相手であれば誰でもいいわけでもなく、そこに選り好みの認知的な基準（美醜）が内在する。動物の場合は、その欲望の目標は即時的な「性交」と「性的快楽（射精、オーガズム）」だと思われるが、人間の場合は（ボノボもここに含まれるが）、性交を含まない広範な性的行為や、険悪さの融和、婚姻関係の構築、信頼性の確認、支配力の行使といった性的行為に限定されない社会行為となることが多い。さらに、性的欲望の自己処理である自慰行為から分かるのは、性的快楽の充足にとっては、実在する相手や対象は必須ではないということである。哺乳類等の動物においても自慰行為は行われ、その多彩さはよく知られているが、[5] このことからも、「性的欲望」は「性的指向」や後述する「性関係」とは独立して処理可能であることが見て取れる。

④ 性は、選好する他個体の美と性的快楽に関わる（美的選好）

性的指向の選り好みの基準には、動物においても人間においても「美」という固有な経験が関わっている。孔雀の羽や極楽鳥の色とりどりの翼、シカやカブトムシの角などは、戦いにとって邪魔になるほど重く大きくなったり、他の捕食者に見つかりやすくなったり、移動の邪魔になったりする。つまり、生存戦略としては悪手と思えるほどの過度な身体装飾が、「自然界」では主にオスに見られる。これはダーウィンが気づいていた、「自然淘汰」とは異なる「性淘汰」というメスの「美的選好」による結果だと考えられている。鳥の歌やダンスも同様であるが、そこには選好を促す美の魅惑がある。

とはいえ、この美という経験が人間以外の生物にも感じられているのか、さらには、ある形質がただ美しいという理由から選ばれることが自然界でも起きているのか、これはいまだ結論のでない問いである。なぜなら、すべてを生存合理的に、つまりどのような美も生存に適った合理性(つまり、自然淘汰の枠内)に還元して理解する「適応主義」がいつでも可能だからである。たとえ美しさだけのために選択されたように見える形質も、適応主義は以下のように生存価値があると主張できる。

美は、それをもつ個体の健康さ、免疫の強さであり、堅固な肉体の証明である。マンモスやバビルサの口に生える牙は、自らの頭蓋に刺さってしまうほど丸まって伸びる個体がいる。とても生存有利とは思えない。しかしこれを、「それほど負担となる牙をもっていても、現にこの世界を立派に生きているのだから逞しい個体に違いない」、そうメスが明に暗に理解し、そうしたオスを選択するのだと主張できる(ハンディキャップ理論)。その意味では過剰装飾ですら、生存価値をもつものとなる。鳥類学者のO・プラムは、こうしたあまりに強引にみえる適応主義の説明に抗って、美の美による進化を唱えている。(6)

彼によれば、美しさには理由がない。たとえ当初は美しいものに生存価があり、機能性や合理性の裏付けがあったとしても、それがメスに選ばれ続け、進化し続けた段階で、それら生存価とは独立の形態にまで展開してしまう。美的なものがここまで多様なのはそれゆえである。一度、多くのものがそれを美しいと判断すると、そのことがその形質をますます美しくする。その意味でも美とは経済バブルと似た虚飾現象であり、実体経済と乖離するように自然界における生存価値とは独立である。むしろプラムは、この美的選好が、メスが自らの「性的自律性」を確保するために、オスをリモデリングする（改造する）ことにつながると仮説化しているが、この点は後ほど触れる。

これまで、カント以来の伝統的な美学では、「美」は、対象の利益や実用性とは関わらない、その意味では「性」にも関わらない「無関心」な満足だと考えられてきた。ここには、美学における視覚や聴覚という距離を前提する感覚の重視と、より身体に近い感覚としての触覚や味覚の軽視とが関係している。(7) とはいえ、誰かを美しいや綺麗だと形容するとき、その存在や身体的物質性そのものへのエロティックな快楽が内属していることはよくある。むしろ性的なものとは関わらない自然美や風景美の方が派生的で、成熟に応じて獲得される知的経験である。子どもが自然美に心動かされるようには思えないし、観光地の景観を楽しむという欲望自体が、身分制度や都市、移動手段等の技術的な発展以降に発明されたものである。さらに人間は、隆々とした木々の根塊や、地球という巨大な惑星、幾何学的形態にさえ、性的な美を感じ取ることもできる。

だとすれば、「性」や「性的快楽」に関与しない無関心の「美」とは、とりわけアカデミックな人間（多くは男性）が発明・発見すると同時に、その知的優位性を誇示し、それに浸るというねじれた性的美の形式だとも解釈できる。その場合、美学の変遷は、性差別的な権力関係を駆動させるものとして利用されてきた歴史になりうる。美術品のコレクターは基本的に富豪であることが多いだろうし、男性アーティストの作品は女性アーティストの作品よりも値が高くつきやすい。さらにここには、女性が芸術等に精通する知的な男性に性的に惹かれやすいというハイパガミー傾向も関係する（サピオセクシャルという知性に性的に惹かれる性の存在も調べられ始めている）[8]。

⑤性は、他個体との性指向的な関係性を求める（性関係）

性愛は、友愛でも、親愛でも、家族愛でもない他者との排他的な関係構築、すなわち性関係を求める。セクシャル（性欲的）であろうと、ロマンティック（恋愛的）であろうと、エロティック（官能的）であろうと、他者との関係性に性的指向ないし性的シグナルが働いている限り、それはここでの「性関係」である。この他者との固有な関係は、事後的にそれとして初めて意識されることもある。性関係への自覚的な目覚めは、たいてい青年期あたりに起こるが、それは他者の肉体や振る舞いに対する恋愛的、官能的欲望への気づきを通してであり、その羞恥に似た感情や、固有な興奮状態によってでもある。女性はこの性への目覚めが、男性よりも早いという見解もある[9]。

この性関係の気づきは、性的行為や性交が何であるかを知らなくても成立し、性交として実現するかどうかとも関係がない。性関係はホモソーシャルな友愛ではないが、性的行為を必ずしも求めないロマンティックな（恋愛的）感情にも前提されている。それはまた、一対一の排他的なペア関係で成立することが多いにしても、性的欲望を共有する限り、多対多の関係でも成立する（ポリアモリー）。

ここでいう「性的行為」とは、生殖につながる「性交」を含むが、キスやハグ、オーラルセックスといった生殖や性交とはまったく関係のないエロティックな官能と快楽を享受する行為全般のことである。この辺りに人間固有な事情があり、その意味では、見つめ合うことや手に触れるだけでも性的行為は成立するし、見つめ方、触れ方、声のかけ方は、いつでも性的なモードに変化する。性的な官能には、湿度を含んだ粘着性（唾液や体液）や、ゆっくりとした速度、やわらかくくっついたり、離れたりするリズムが関係する。しかもこの性関係には、必ずしもではないが能動性と受動性の分極化が伴う。古代ギリシアでも、日本の江戸時代でも、恋愛、性愛関係には、年齢や性別による能動／受動の行為者の区別が、つまり「成人男性と青年」、「成人男性と女性」、「挿入する側と挿入される側」という主―客の区別が存在していた。

とはいえ、こうした性関係に、どれほどのモードが存在するのかは分からないことが多い。たとえばフロイトが開発した精神分析では、アダム・フィリップスが述べるように「セックスをしないと決めた二人（患者―治療者）」の性関係を成立させる可能性がある。十川は「精神分析の臨床においては『快の直接的な充足はない」[10]と言うが、これは、性交を行わないという抑止・契約・遅延そのものを性的快楽の対象にし続けるマゾヒズム的な性関係のようにも思える。だからこそ、それを遵守できないことによるハラスメント事件も起こる。また数学者が数式に美を認めることがあるが、この美が性的なものである場合、これを性関係とみなしてもよいのか、数式や記号にどのような行為を求めるのか、不明な点は多い。

さらに現在は、排他的、独占的な性関係や性的行為そのものに嫌悪を感じ、拒否をする若者が増えてもいる[11]。しかしその場合でも、添い寝をしたり、手を繋いだりすることで相互の存在を確認し、愛し合う関係が成立する。それが性関係であるかどうかは、そこになんらかの性的指向や官能性があるのかによって決まる。ロマンティック・アセクシャルという、恋愛感情（ここでの性関係を求める欲望と性的指向）はあるが、性的欲望が少なく、性行為を求めないセクシャリティも認知され始めている。

長く連れ添ったカップルや夫婦は、当初は強い性関係にあったとしても、性的行為や性交が不在になることが多々ある。世界に比べても日本は特にそうであるが、この場合、このペアをそれとして維持し続けているものが「性関係」と呼べるのかは微妙である。とりわけ家族というシステムが不気味なのは、性関係を通じて子を産むにもかかわらず、子に対してその性愛を隠す構造があるからである。そして隠し続けるうちに本当に「性関係」が消失してしまうこともあると予想される。

さらに親が子をハグしたり、子の身体に触れ合う関係や、兄弟姉妹の関係までも性関係としてしまうと（吉本隆明の対幻想はこれも性関係だと仮定している）[12]、あまりにも範囲が広がりすぎる。そもそも親は子に恋愛的で官能的な感情をもつことも、欲情しないのも普通である。だからといって、近親相関的な性関係が存在しないわけではなく、可能でもあるが、多くの場合、自然的で社会的なタブー（性関係の禁止）として個々の主体に内面化される。

最後に注意すべきことであるが、この性関係は、ペアとなるどちらかが一方的に誤解する可能性やリスクが多々ある。一方は性関係として感じ取っていた関係が、他方はまったくそんな気がなかったということは普通に起こるし、この不一致が相互の幻想の宝庫となると同時に性加害／性被害を生む[13]。

⑥性は、その社会にふさわしい行動や振る舞いとして規範化され、要請される（性役割）

社会は、その容姿や声、振る舞い、服装等によって、たとえば高級店の支払は男性側に請求を求めたり、お客にお茶を出す等の催促は女性に求めたりと、性の外見的な判断に応じた対応を要求し、個人はそう振る舞うようその圧力を受ける。つまり、その社会内、組織内、家族内での性的な役割を演じるように明に暗に強制される。ここには、男らしさや女らしさといったそうあるべき「規範」の共同意識が存在する。こうした性役割の規範圧力が動物社会にもみられるのかは微妙である。というのも、この「規範」は、吉本隆明が言うところの「フィクション（虚構）／共同幻想」の機能と意識が担っている可能性が高いからである。日本では『古事記』の最初の記述にすでに性の規範が書き込まれている。(14) この性役割が、女性やその他の性的マイノリティにとっては、能力や職業、地位、収入等を低下させ、抑制する強固な制度と差別的規範となることでいまだに社会は組織されている。

先に性的指向の原則で述べたように、性的欲望が人間以外の動物に向かうことは異常だと一般的に考えられている。というのも、とりわけペットは人間社会では性役割を担ってはならないものとみなされているからである。たとえば日本では、犬は人間の5歳児ほどの知能をもつ子どものように扱うのが普通である。濱野が言うように小型犬に子どもと同じ服を着せ、子どもに語りかけるように話しかけ、去勢手術をして犬の「性」を奪うのは、犬が「永遠の子ども」(15) だからである。犬が性的欲望を剝き出しにすることは許されない。これは動物性愛者（ズー）からみれば、犬のセクシュアリティを抑圧し、人間社会に敵うような「非性」という役割を犬に押し付けている動物虐待となる。(16)

これら性役割の大半は、社会生活を円滑に維持し、かつ、家父長的な権力を行使するために支配階級や国家がありうべき性として構築してきたものであるが、その文化や国家の中で暮らしている限り、個々人には自明すぎて見えづらいものとなる。

ここまでの6つの原則はネットワーク状に絡み合い、性という現象を極めて複雑にしている。というより性とは、これら原則が交差する動的な結び目のようなものである。それが結び目である限り、きつく結ばれれば解くのが極めて困難になるし、とはいえそこには解けるだけの隙間もある。流動する可変性と成熟する安定性の間で性は固有のパフォーマンスを行う。しかも人間は、たとえ容易ではないにしても、自ら性を選択し、そのセクシュアリティに身体と心を馴染ませていくことさえできる。

とはいえ、ここにはまだ、オス／メス、男性／女性といった圧倒的な多数派を占める性差の内実とその検討が含まれていない。この性差を浮き彫りにするには、進化において現れるそれぞれの性における生殖戦略の違いから見ていく必要がある。

2 — 生殖戦略における性差

性は生殖にとっての疑似必要だと原則では述べられていた。とはいえ、性と生殖の間には生命の進化という長大な時間の経過があり、繁殖が首尾よくいくための戦略が隠されているのもまた確かである。自然界と人間社会、どちらでも統計的多数を占める性が、オスとメス、男性と女性の二性である。それらのバリエーションや変異として多くの例外があることは確かだが、それでもなぜこの二つの性が確固たる多数派として存在してしまうのかという問いは残る。以下は、この二性の関係について扱うことになるが、これは性的マイノリティ等の性を軽視するということでは当然ない。

オスとメスという個体の性差は、精子と卵子という生殖細胞の原初的差異とつながっている。進化生物学が、これらの性差を生殖戦略の差として浮き彫りにしている。[17]

精子は小さく(目で見えない)、卵子は巨大である(目で見える)。一方は機動性を重視し、他方は栄養等の蓄えを重視している。精子がよく動くには、エネルギーコストを抑えるため、ボディプランを小さくする必要がある。対して卵子は、受精した後に卵割し、発達するための栄養を蓄え巨大になる分、運動機能を犠牲にせざるをえない。こうした機能分担は、すでに精細胞と卵細胞にも存在する。

進化的なはるか昔には、オス/メスが両方とも激しく動き回る生殖細胞のペアであったか、両方とも栄養だけが豊富で動き回らなかった生殖細胞のペアで存在した可能性もある。とはいえ、前者ではマッチングが行われても、その後の発育で栄養が足りなくなり、後者だと相互のマッチングそのものが起こりにくい。そこで「運動性」と「栄養」という差異を含んだ両者のペアの方が、マッチングとその後の発達の成功頻度が高いものとして自然選択されたと想定できる。[18] とはいえ、それでもお互いが、栄養と運動能力をそこそこ備えたペアであってもよかった気もするが(ゾウリムシのような単細胞生物ではそうなっている)、そうならなかった事情が何かありそうである。

こうした生殖細胞の性差が、オス/メス、男性/女性という個体による配偶者獲得のための戦略や性役割の差へと接続されていくと想定できる。

まず女性では、胎児期にすでに卵巣に卵原細胞が700万個ほどあるが、その数は徐々に減り、しかもそのなかで実際に排卵される卵子の数は400個から500個だと言われる。そして受精卵が着床し、妊娠すると、1年以上は次の妊娠ができず、妊娠状態に拘束される。さらに子を生んだのちにも授乳といった子育てのコストがかかる。

他方男性では、精子は、1回の射精で2億5000万個ほど放出され、1回の脈拍で1500個製造可能とも言われるほど、ほぼ無際限に作られる。1回の放出量が7000万個以下になると受精の可能性が低くなることも分かっている。[19] 精子は排出されないと分解され、再度作られる。男性には妊娠のコストはなく、いつでも射精可能である。

ここから分かるのは、女性は卵子数に制限をかけ、生涯で妊娠できる期間や時間にも限りがある（閉経は人間の女性にだけ固有である）[20]のに対し、男性はいつでも無数の精子を放出できることである。1回の受精のために必要なのは卵細胞1つと、数億個の精子である（受精するのは1個の精子だとしても）。この希少な卵子と、無駄とも思える大量の精子という生殖における数の性差は、妊娠と出産のコストとリスクの問題に直結している。

進化における生物の生存戦略が、ドーキンスが言うように自分の遺伝子をつなげ続けることにあるとすれば、女性は卵子の数と自分の出産の時間に制限があることから、自分と子の保護をしてくれる男性とその精子を選択するよう生殖戦略を進化させる。それに対して男性は、女性のように数と時間の制限がないため、とにかく自分の遺伝子を運ぶ精子が多くの卵子と受精することを目指し、多数の女性と生殖するよう進化してきたはずである。しかも他の男性もそのように考えるのであるから、女性との交配を目論む男性間の競争、そして精子間の競争が苛烈になる。これが、進化的に女性が「選ぶ性」で、男性が「競う性」と呼ばれる所以である。

ここまでですでに、社会生活上における人間の男女の性差の含意を読み取ることもできる。つまり男性は能動的で、よく動き、かつ好戦的で、多くの女性との性交を行うための「競う性」であるのに対し、女性は受動的で大人しく、蓄えと男性への投資リスクを慎重に見極め、信用のおける男性を「選ぶ性」であると。古代ギリシアのアリストテレスも、近世のルソーも似たようなことを述べていたし、進化論のダーウィンでさえそうである。[21]とはいえ、こうした理解を人間社会における当然の事実ないし自然だと確定することは**極めて危険**であるし、後述するが、異なるところが多分にある。

また上記のことから理解されるのは、女性にとっての家族関係の理想が、一夫一妻か、一妻多夫となるのに対し、男性にとっての理想は、一夫多妻か、ハーレム、もしくは乱婚となる。

そもそもオス間の競争が激しい種では、「性的二形」といって性別によって個体の形態が変わることが知られている。甲虫の角や孔雀の羽、ライオンのタテガミ、シカの角、オランウータンの顔のフランジや、ゴリラの体格など、外形的なディスプレイを派手に大きくするのは、メスに選ばれようとするオスである。派手な色の羽を身にまとい、不可思議なダンスを踊る鳥類もオスである。

とりわけ類人猿では、性的二形の差が大きい種ほどオスの競争は熾烈になり、多数のメスの占有が起こる。実際にゴリラの雌雄の体格差は2倍ほどあり、ハーレムを維持するためにオスは腕力を用いて熾烈な争いを繰り広げる。対して、人間の男女では体格差はそれほど大きくない（男性が女性より10～20パーセントほど大きいにすぎない）。したがって人間は、同様に体格差のあまりないチンパンジーやボノボの「乱婚形態」か、テナガザルの「一夫一妻」の形態に近い種だと想定されている。[22]

こうした自然界のオスに対して、メスはオスのような派手な美的ディスプレイをもたず地味で、小さく、目立たない（この点は、精子と卵子のスケール差が逆転している）。むしろメスは信用できるオスを選好する「審美眼」を進化させてきた。その結果起こるのが、一般に「性淘汰・性選択（sexual selection）」と呼ばれる。

ダーウィンは述べる。性淘汰とは、「繁殖との関連のみにおいて、ある個体が、同種に属する同性の他の個体よりも有利に立つことから生じる淘汰[23]」であり、「雌は、雄と比べれば受動的ではあるものの、**一般的な選り好み**をはたらかせ、ある雄を他の雄よりも好んで受け入れる[24]」（強調引用者）。自然界においてはメスが「選ぶ性」であることによって「性淘汰」が働く。

先にこの生存戦略の違いを、単純に人間社会に当てはめるのが危険だと述べたのは、「競う性」と「選ぶ性」という自然界での役割分担が、人間社会ではそのまま成立していないからである。18世紀の哲学者カントは、人間の女性を「美しい性」と呼んでいた。これは自然界とは真逆なのだが、カントはそのことには無自覚で、むしろそれが自然なことだと述べている。彼の時代においてすでに女性は、男性に選ばれるために身なりや容姿、振る舞いを気にする必要があった[25]。ちなみにカントにとって男性は「高貴な性」である[26]。

実際に現代でも、化粧やダイエット、服装を通して身体を着飾り、美をディスプレイするのは主に女性であり、権力や資金力を持ち、組織の上層部を占めるのが男性で、その男性によって女性は選ばれるように競わなければならない。この逆転現象にはダーウィンも驚いており、「雄の方が特定の雌を選ぶという、逆の、ずっと稀な例[27]」として、アカゲザルと人間を挙げている。

「雄が選ばれるのではなく、雄が選ぶ方である稀な例が存在する。そのような例は、雌の方が雄よりも高度に装飾的であり、その装飾的形質が、雌の子のみに、または雌の子により強く伝えられることをみれば分かる[28]」。人間の場合、その理由についてダーウィンは、「男性は女性よりも肉体的にも精神的にも強く、原始的な状態では、どんな動物の雄がするよりも**卑しい奴隷状態で、女性を自分の手元にとどめておいた**」[29]（強調引用者）からだと答えている。「それゆえ、男性が選択の力を身につけたとしても驚くべきことではないだろう。女性は、世界中どこでも、自分の美しさの価値を意識しており、その手段があるところでは、男性よりもずっと自分の身をあらゆるたぐいの装飾で飾るのを喜びとしている。……そこで、多くの人々が認めるように、一般に女性の方が男性よりも美しくなった」[30]と。

この見解を考慮すれば、人間の男性は、ある時から女性の身分を低下させ、男性の権力下で管理することで、女性を競わせることになった。それによって女性は美のディスプレイを高めるよう選択されてきたのだと理解できる。それは、家父長制に基づく男性優位社会が成立し、女性への性差別が構造的に確固たるものとなった証でもある[31]。そしてこれは、現在もフェミニズムがその撤廃を目指し、奮闘している根深い社会構造として残存する。

とはいえ、以下で問うてみたいのは、そうした問題が根深く残りつつあることを認めながらも、自然界で「選ぶ性」であった女性は、この身分的、制度的逆転が起きた後には「選ぶこと」を決して実行してこなかったのかという問題である。身分や職位、収入、性役割といった格差を押し付けられている状態では、女性はみずから選ぶよりも、選ばれるよう競争せざるをえなかった。だからといって女性は、自らの性関係を維持するさいになんらの選好もしてこなかったことがあるだろうか。先ほども論じた鳥類学者のプラムは、この問いに対して、女性たちはそれでもたしかに審美的に男性を選好し続けてきたのだと答える。どういうことか。

3 それぞれの性選択

改めて、18世紀のカントを引こう。カントは、「美しい性」である女性の感受性について以下のように述べていた。

女性はほんの少しの無礼に関しても非常に敏感な感覚を持っており、自分に対する注意や尊敬の念のほんの少しの欠如にも気づくほど極めて繊細である。簡単に言えば、女性は人間本性のうちに、美しい性質を高貴な性質に際立たせる主要な根拠を含んでいるのであり、**男性自身をすら繊細にするのである**。[32]（強調引用者）

女性の敏感な感性は、男性すらも「繊細にする」。カントは、この「一方の性が他方の性に対して持ちうる、感情を美しくしたり高貴にしたりする影響[33]」についての考察を行っている。そこでは、「自然の諸目的は、男性を性的傾向性によってさらになお高貴にし、婦人をこれによってさらになお美しくすることを目指している」と言われていることからも、カントは男性／女性どちらもが相互を評価、選択することで、相手を変化させていると考えていた。つまり、男性が高貴な性であるのはアプリオリなことというより、獲得され、変化していくものだと理解することもできる。以下の引用もそうである。

婦人は、高度の洞察を持っていないことや、臆病で、重要な仕事をまかされないこと等々にはほとんど当惑しない。彼女は美しく、ひとの心を引きつけるのであり、それで十分なのである。これに対し、**彼女はこれらすべての性質を男に要求し、彼女の魂の崇高さは、高貴な諸性質が男に見られる限りにおいて、これらを評価するすべを知っている**というところにのみ示される。そうでなければ、功績をもってはいるが、かくも多くの醜い顔の男が、かくも丁重で高雅な婦人を獲得できるということがありうるであろうか。[34]（強調引用者）

いささか問題含みの記述ではあるが、すでにフェミニズム的な観点から、カントの人間学的考察、ひいては哲学的考察にそうした男性中心主義的、差別的な思考が存在することは指摘されている。[35] 先にも述べたように、カントは自然界と人間界での奇妙な逆転現象について知らないまま自然目的について語っているし、女性は「感覚的」存在であることから、知識を身につける必要もないといった発言もたしかにみられる。そもそもなぜ女性が繊細で、感覚的であったのかということに関して、家父長的な構造的暴力や教育の格差が働いていた可能性は高いにもかかわらずである。

しかしここでは、その女性の繊細さが「男性自身をすら繊細にする」という箇所をあえて強調したい。たとえ差別的で、暴力的な構造のなかで生きざるをえないとしても、それでも女性は男性を選択し続けてきた可能性があるかを問い詰めてみたいのである。

性の原則④において、美的選好に関する鳥類学者のプラムの仮説を紹介した。彼は、自然淘汰とは異なる性淘汰において、つまりメスによる美を通じた配偶者選択によって、オスそのものの改造が行われてきたと述べている。

これまでは進化論でも、「動物には主観的な好みがあり、美をもたらす主体なのだと考えることは擬人化とみなされ」[36]、忌避されてきた歴史がある。にもかかわらず、美による個々のメスの選好を考慮しない限り説明できない、美的ディスプレイに関わる多くの事例が存在するのもまた確かである。たとえば色とりどりの派手な装飾をまとう鳥類のオスの97パーセントにはペニスがない。およそ7000万年前に失われたと想定されている[37]。ペニスがないために鳥類では「強制交尾」、つまり人間社会におけるレイプの成功率が極端に低い。というのも交尾を成功させるには、オスはメスの選好を尊重し、協力を獲得しなければならないからである。実際にニワトリのメスは、強制交尾された望まないオスの精子を排出できる仕組みももつ[38]。

プラムはこうした鳥類の観察データから、鳥のメスは美的選好を通じて自己の「性的自律性」を確立してきたのだと仮説化する。それを簡単にまとめれば、①メス／女性は美の形象を通じてオス／男性を改造してきた、②それは同時に、自らの性的自律性を高めることにつながり、③それとともに美による快楽の最大化を促す、というものである。

カモのなかにはいまだにペニスのある種もいる。とりわけ「マガモを含めたカモのなかには、全交尾の40パーセントという驚くほど高い割合で強制交尾が行われている種がいるが、それでもメスが選んだ配偶者以外の父親によるヒナは、わずか2～5パーセントにすぎない。つまり、強制交尾はほとんど成功しない」[39]。こうした種では、メスは強制交尾の妊娠を避けるために、膣の構造が何重にもねじれた筒状の形態になっており、他方でオスは、その複雑なねじれにそってペニスを強引に挿入させようと、一挙に爆発的に膨らんで伸びる、ねじれたゴムチューブのようなペニスを進化させてきた。それはまるで軍拡競争である。実際に、このような複雑な形態の生殖器をもつ鳥類の雌雄の種では、強制交尾が頻繁に行われており、逆に、生殖器の構造が単純な種ほど、一夫一妻制に近いライフスタイルをもつ(40)。そしてほとんどの鳥類の種では、結果としてペニスが消滅するように、メスが美的選好によるオスの改造を行ってきたというのが、プラムの仮説である。

これをさらに敷衍し、人間の女性も、たとえ構造的な暴力に阻まれ続けてきたとしても、そのなかで最大限の美的選好を働かせてきたはずだというプラムの直観がある。では、女性が求める「美しさ」とはどのようなものなのか。プラムにとってこの美は、メス／女性の「性的自律性」を高めることにつながるものであった。性的自律性とは、メスが自ら信頼できる相手を選択することによって確保され、それにより自分と子どもの保護と、強制交尾等の性被害を減らすことである(41)。

世界各国で調査された、現代の女性が好む男性についてのメタアナリシス論文がある。そこには文化差も当然あるが、一般的に女性は、あまりに男性的な顔には惹かれないことが分かっている。むしろ「やや男性的」ないしむしろ「女性的」な男性の方がパートナーとして好まれる傾向がある(42)。濃い髭よりも薄い髭の方が好まれ、細身でやや筋肉質、そして比較的、女性的な顔立ちの男性が女性に好まれる。こうしたデータだけを見ていると、女性は「女性」を選好しているようにも思えてくる。

これらの研究をまとめたガンジェスタドとシェードは、その理由として、「女性的な顔をした男性は、男性的な顔をした男性よりも温厚で、同意しやすく、誠実であると認識されている(43)」からだと述べる。同様にプラムも、「ヒトの男性に形態的装飾が明らかに少ないのは、進化の過程で、女性の配偶者選択の重点が身体的形質ではなく、主に社会的形質に置かれてきたから(44)」だと言うが、この後者の社会的形質とは、正直さやユーモア、親切さ、好奇心等々の、個体の振る舞いから垣間見える「内面の美」を推測させるものである。ごく最近行われた3万人規模のオンライン調査では、異性愛の女性の62・6パーセントが、他の女性に対しても性的魅力を感じていることが明らかになっており、そうした女性ほど男らしさが目立たない容姿の男性を選好する。(45)

誤解してはいけないのは、間違いなく人間の男性は、家父長制が敷かれた社会において女性を選択してきたし、そこには当然、今も続く強制的で暴力的な歴史がある。だから女性の「繊細さ」や「好み」でさえ、そのような格差が押し付けられるなかで作り上げられた社会的性質である可能性は否定できない。とはいえ、そうだとしても、なぜ女性が自らと似た繊細さや温厚さをもつ男性を選ぼうとするのかは明らかにならない。むしろここには、女性がみずからの審美眼を働かせながら暴力を避け、性的自律性を確立しようと男性を選択してきた可能性が残っているし、それはもしかすると未来の人間と社会を展望させる一つの希望にもなる。男性だけではなく、女性にとってさえ選好されるのが女性的な性であり、男女ともに理想の身体が女性になりつつあることがいったい何を意味しているのか。

この問題は、ホモ属という人類の祖先種から、ホモ・サピエンス種の出現とその文化的発展における「女性化」という壮大な進化の流れとしても跡づけ可能である。実際に、約8万年前から現代までの数千個の頭蓋骨を比較調査することで、ホモ属の頭蓋骨は丸みを帯び、眼窩上隆起が失われ、女性化していることが明らかになっている。(46) 交戦的なチンパンジーよりも平和を好むボノボの方が、頭蓋骨が丸みを帯びている。これが「女性化」だと言われる理由は、骨の変形には男性ホルモンであるテストステロンの持続的低下が関係しているからである。それによって人類は、暴力を抑えた寛容な社会へと進むことができた可能性がある。協調性を発達させた寛容な社会の実現は、人口増加も促すだろう。とはいえ、他方でこれは、ニーチェが批判した人間の「自己家畜化」の裏面でもある。イノシシがブタに、オオカミが豆柴にという、野生動物のボディプランの家畜化が進んだように、人類もまた自らを家畜化した可能性が高い。[47] ここには遺伝子の突然変異や身体能力を代替する技術の発明、平等や公平、正義といった人権を取り囲む概念セットの確立も当然含まれているが、人間において家畜化されたのが女性だけではないのは確かである。女性による性選択だけがその理由ではないにしても、人類全体が家畜化されてきたのである。進化心理学者のS・ピンカーは世界の暴力が漸次的に減りつつあることを膨大なデータから導き出しているが、これもそれを裏付ける傍証となる。[48]

さらにプラムの仮説には、メスの性的自律性を確保することが快楽の最大化につながることも含まれていた。とりわけ女性の性的欲望は、家父長的なキリスト教の伝統下では存在してはいけないものとして忌避され、抑圧されてきた歴史がある。そのことが、医師によるヒステリー治療のための女性器を刺激するバイブレーター器具の発明にもつながった。[49]

また日本でも、江戸時代の幕府を中心とした封建社会において将軍の嫡子を生む女性たちと女中が暮らす大奥が制度化されており、そこでの女性たちは、厳しい序列や役職のなかで管理された競争社会を生きていたはずである。その意味では、選ばれる側の性であったのは確かだが、その江戸の女中たちの風俗の一つに「張形（ディルド）」の使用がある。

これは女性の自慰行為のために男性器を象った道具であるが、石器時代から存在していたとも言われている。ドイツのウルムでは約3万年前のディルドが発見されているし、[50] 古代ギリシアにもすでに存在しており、世界各国で素材（石、木、象牙、骨、鼈甲等々）や形状、大きさも多様である。日本では、奈良時代以降になって神事ではなく、明確に自慰行為のための道具として用いられてきた。14世紀には京の上方で、とりわけ宮女たちが用いるものとしてその存在が春画等に明記されており、その後、17世紀には江戸の大奥で暮らす女中たちの間でその文化が花開くことになる。江戸文化を研究する田中は、こうした張形の歴史を通して、江戸時代の女性たちがみずからの性と快楽とどう向き合って生きてきたのかを調べ上げている。[51] そのなかで田中は、下記のような興味深いことを述べる。

遊郭はまさに「男性の願望」を作り出すシステムであり、近世（江戸時代）における「男性の願望」は、女性が作り出した可能性が大きい。（女性たちが作り上げた）歌舞伎の発生をたどっても、それに近いことが起こっている。

また、戦国時代から急速に変化した男性美の基準——髭や**もみあげ**をたくわえない。鬚を極端に細く**さかやき**をそりあげる。清潔。細面。やせ形。柔弱。色白。若衆（少年）的——は、男性自身の自己理想像ではなく、暴力的イメージを嫌う女性の好みに沿って作り上げられたものである。[52]

性や快楽が最大化する風俗街は、貧困や病気、差別が蔓延する場所でもある。しかしそこでは、身なりや振る舞い、話し言葉の流行が起き、それが美の形象として民衆に広まることもしばしばあった。現在の新宿の歌舞伎町や芸能界という業界にも、性と美、快楽のイメージが拭い去れないほど染みついているのは、民衆を統治し、管理したい権力者の領土や境界内からいつでも逸脱しうる「例外状態」の遊動空間が含まれているからである。江戸時代には遊郭だけではなく、男娼による陰間茶屋も民衆の間に広まっていた。田中の研究からも、江戸時代の女性たちが明らかな身分的、性差別的な社会構造に拘束されながらも、自らの快楽を最大化しようとしていたことがよく伝わってくる。そのなかで彼女たちは性的自律へ向けた選択を行っていたのではないか。

先述したプラムは、「男性の権力や性的支配、社会的階級（父権性）といった文化的イデオロギーは、進化によって拡大した女性の性的自律性に対する抵抗手段として、男性が受精、生殖、親の投資に対する支配を再び確立するために発達した」[53]と想定している。家父長的な社会構造が出現し、世界に広がったのが紀元前2000年以降だとすれば、数万年前から続く進化におけるヒト属やホモ・サピエンスの「女性化」は、この時期から対抗的な力に直面したことになる。

とはいえ、それとともに生み出された都市や学問、教育システムの発展といった種々の文化装置は、人類を暴力から守ると同時に、人類を家畜化し、女性化を推し進めるものでもあり、それに加えてさらに女性は、個体としての性選択を継続してきたとも言えるだろう。S・ピンカーは言う。「このように、政治による直接的な女性への権限付与、男らしい名誉文化の衰退、女性自身による結婚の促進、女児が無事に生まれる権利、自身の繁殖に関する裁量権の保持など、さまざまなかたちでの女性化が、暴力を減少させる力となってきた」[54]と。

上記のことから、男性／女性というマジョリティの両性として特徴づけられる性をもつものは、自然界でも、人間社会でも、そのパフォーマンスに翻弄されると同時に、それを利用してきたことが分かる。

女性による審美眼による男性の選択も、男性により選ばれた女性の選択の結果にすぎないのかもしれない。事実、「女性が男性を人倫化する」、つまり女性が男性を道徳的にするという主張は、カントだけではなく、ルソーやヴォルテールはじめ、明らかに男性優位な家父長制社会を生きた近世の思想家（男性）によって繰り返し用いられてきた常套句でもある。(55) つまりこの主張は、女性を抑圧し、女性から教育を奪い、女性に家事労働をおしつける構造的暴力を強化し、温存するものとしても用いられてきたのである。だから、それに関わる発言や主張の言説的な効果にはいつも留意する必要がある。が、それでも現在は、そうした効果を見定める準備もでき、鳥類学から見た進化論だけではなく、哲学や社会学、自然科学においてでさえ、これまで見過ごされてきた性のパフォーマンスを主題化する傾向が高まっている。

本稿は主に男女というマジョリティの性に議論は終始したが、そこから先には、これら二性に限定されない多様な性が行うパフォーマンスを探索する新しい可能性が広がっているのである。

註

（1）拙論「性というパフォーマンス（2）──性の語り、共同幻想、同意の現象学」、『白山哲学』２０２１年。いずれオンラインでも公開される予定。
（2）Ｆ・ライアン『破壊する創造者──ウイルスが人を進化させた』夏目大訳、早川書房、２０１１年、３１２頁。
（3）伊藤元輝『性転師──「性転換ビジネス」に従事する日本人たち』柏書房、２０２０年。
（4）濱野ちひろ『聖なるズー』集英社、２０１９年、40頁。
（5）Ｂ・Ｎ・ホロウィッツ＋Ｋ・バウアーズ『人間と動物の病気を一緒にみる──医療を変える汎動物学の発想』土屋

晶子訳、インターシフト、２０１４年。

（６）Ｒ・Ｏ・プラム『美の進化——性選択は人間と動物をどう変えたか』黒沢令子訳、白揚社、２０２０年。

（７）Ｃ・コースマイヤー「知覚　快楽　芸術——美とは何か」、『ジェンダー化する哲学——フェミニズムからの認識論批判』大越愛子・志水紀代子編、昭和堂、１９９９年、１８１〜２２５頁。

（８）G. E. Gignac, J. Darbyshire, M. Ooi, "Some people are attracted sexually to intelligence: A psychometricevaluation of sapiosexuality", *Intelligence*, Vol. 66, 2018, p. 98–111.

（９）F. M. Martinson, *The Sexual Life of Children*, Praeger Pub Text, 1994. ただし子どもが性をどう感じ取っているのかを調査する研究は、その介入自体が性的な暴力となる可能性があることから、多くの社会的制限がかけられているためあまり行われていない。

（10）十川幸司『子供が世話される』——性倒錯の生成を理解するために」、『哲学のメタモルフォーゼ』河本英夫・稲垣論編、晃洋書房、２０１８年、１７９頁。

（11）２０１５年の出生動向基本調査では、18〜34歳の未婚者で交際相手をもたない人の割合は、男女ともに年々増えている。古くは草食系という流行ワードや、現在ではアセクシャルという性自認が注目されていることからも予想できる。アメリカでもイギリスでも同様の傾向がみられる。

（12）拙論、前掲「性というパフォーマンス（２）——性の語り、共同幻想、同意の現象学」。

（13）この対幻想の失敗については、拙論、前掲「性というパフォーマンス（２）——性の語り、共同幻想、同意の現象学」、参照。

（14）同上。

（15）濱野、前掲『聖なるズー』、１０１頁。

（16）動物性愛者も多様であるが、彼らの多くが「獣姦愛好者」でも「ズー・サディスト」でもないと強調する。

（17）Ｌ・マーギュリス＋Ｄ・セーガン『性とはなにか』石川統訳、せりか書房、２０００年、Ｊ・ダイアモンド『人間の性はなぜ奇妙に進化したのか』長谷川寿一訳、草思社、２０１３年、Ｄ・ブラム『脳に組み込まれたセックス——なぜ男と女なのか』越智典子訳、白揚社、２０００年、Ｃ・ライアン＋Ｃ・ジェタ『性の進化論——女性のオルガスムは、なぜ霊長類にだけ発達したか？』山本規雄訳、作品社、２０１４年、等々。

（18）長谷川真理子『オスとメス——性の不思議』講談社、１９９３年、36頁。

(19)R・マーティン『愛が実を結ぶとき――女と男と新たな命の進化生物学』森内薫訳、岩波書店、2015年。
(20)ダイアモンド、前掲『人間の性はなぜ奇妙に進化したのか』、22頁。
(21)拙論、前掲「性というパフォーマンス(2)――性の語り、共同幻想、同意の現象学」。
(22)ライアン+ジェタ、前掲『性の進化論』、322頁以下。とはいえ、問題を複雑にするのが、人間の男性の生殖器の大きさである(女性の乳房の膨らみもそうである)。オスメスの体格差が大きいゴリラのペニスや睾丸はとても小さいが、オスメスの体格差がない一夫一妻のテナガザルも同様に小さい。それに対して乱婚のチンパンジーやボノボのオスは、彼らと比べて巨大な生殖器をもつが、人間はそれら他の霊長類と比較できないほどさらに大きい。この男性の大きな生殖器についての解釈は、精子競争の激しさを物語るのか、ディスプレイの一種として性淘汰された結果なのか決着がついてはいない。
(23)C・ダーウィン『人間の由来　上』長谷川眞理子訳、講談社、2016年、323頁。
(24)同書、340頁。
(25)拙著『大丈夫、死ぬには及ばない――今、大学生に何が起きているのか』学芸みらい社、2015年、98頁。
(26)I・カント『カント全集　2』久保光志訳、岩波書店、2000年、349頁以下。
(27)ダーウィン、前掲『人間の由来　上』、329頁。
(28)C・ダーウィン『人間の由来　下』長谷川眞理子訳、講談社、2016年、451頁。
(29)同上。
(30)ダーウィン、前掲『人間の由来　下』、451頁。
(31)拙論、前掲「性というパフォーマンス(2)――性の語り、共同幻想、同意の現象学」参照。そこでも述べられているが、家族システム論のトッドによれば、家父長制が中国とメソポタミアに発生し、世界に広まっていくのは紀元前2000年頃からである。
(32)カント、前掲『カント全集　2』、350頁。
(33)同書、364頁。
(34)同上。
(35)前掲、大越・志水編『ジェンダー化する哲学』、とりわけ大越愛子「ジェンダー形而上学批判」参照。U・P・ヤウヒ『性差についてのカントの見解』菊地健三訳、専修大学出版局、２００４年は、カントのテクストを丁寧に追いかけることで彼の女性観が一枚岩ではないことを示そうとする労作である。実際に本論で引用されたテクスト「美と崇高の感情に関する考察」は、カントがルソーの読書体験に出会う以前、理性批判という哲学的構想を打ち出す以前のものであることを注記する必要がある。

(36) プラム、前掲『美の進化』、３７７頁。

(37) 同書、１８９頁。

(38) 同書、２１１頁。

(39) 同書、２０３頁。

(40) 同書、１９７頁。

(41) 同書、39頁。

(42) Gangestad, S. W., Scheyd, G. J., "The Evolution of Human Physical Attractiveness", *The Annual Review of Anthropology*, 2005. 34: 523–48.

(43) Gangestad, S. W., Scheyd, G. J., "The Evolution of Human Physical Attractiveness", *The Annual Review of Anthropology*, 2005. 34: 533.

(44) プラム、前掲『美の進化』、２８２頁。

(45) C. Batres, B. C. Jones, D. I. Perrett, "Attraction to Men and Women Predicts Sexual Dimorphism Preferences", *International Journal of Sexual Health*, Vol. 32, 2020, p. 57–63.

(46) Robert L. Cieri, Steven E. Churchill, Robert G. Franciscus, Jingzhi Tan and Brian Hare, "Craniofacial Feminization, Social Tolerance, and the Origins of Behavioral Modernity", *Current Anthropology*, Vol. 55, No. 4, pp. 419–443.

(47) R・C・フランシス『家畜化という進化――人間はいかに動物を変えたか』西尾香苗訳、白揚社、２０１９年。

(48) S・ピンカー『暴力の人類史　上』幾島幸子・塩原通緒訳、青土社、２０１５年。

(49) R・P・メインズ『ヴァイブレーターの文化史――セクシュアリティ・西洋医学・理学療法』佐藤雅彦訳、論創社、２０１０年。

(50) http://news.bbc.co.uk/2/hi/science/nature/4713323.stm

(51)田中優子『張形と江戸女』ちくま文庫、2017年。
(52)同書、210頁。
(53)プラム、前掲『美の進化』、385頁。
(54)S・ピンカー『暴力の人類史 下』幾島幸子・塩原通緒訳、青土社、2015年、565頁。
(55)ヤウヒ、前掲『性差についてのカントの見解』、103頁以下。

第II部

共同性・ネットワーク・現実性の変容

第6章 民族という罠

河本英夫
KAMAMOTO Hideo

民族性は、私のなかでは、かすかな思い出のように遠い記憶のなかにある。だがそれは身体に染み込んだ否応のない記憶でもある。民族を、国籍を変更するように選択することはできない。だがそれは自分自身で選んだものでもない。その意味で、民族は一つの運命のように個々人に彩りを与える。もちろんそれは時として自覚される掟のようなものではない。民族は幼少期より慣れ親しんで全身に染み渡っている飲み水に近いのかもしれない。異国を旅行したとき、水が合わず苦しめられることがある。身体にとって自明となった「内部環境」のような水があり、生活に浸透した文化がある。

母語は幼少期に否応なく身についている。ひとたび身についたものを取り外すことはできない。民族文化の一つである言語は、まるで身体に組み込まれすでに経験とともに再組織化されて、経験にとっての「自然性」となっている。母語は、もはや語る必要のないほどの自明性をもち、たとえ長期間海外で暮らしたとき、使用しなければ言葉が出にくくなることはあっても、プログラム言語を取り換えるように母語を取り換えることはできない。民族は、どこまでも日々の生活とともにあり、その延長上で形成された共同性とともにある。通常、民族は語る必要もなく、語られたさいにはどこか唐突さを伴う不自然さがある。この感触を共有することが、「共属意識」である。

民族を静かに淡々と語ることは難しい。民族への語りには、ほとんどの場合、過剰さや過少さが付き纏う。民族への語りは、おのずと過度の正当化や過度の抑制に付き纏われている。私は「日本国民」だという自分自身への説明に代えて、「私は大和民族である」と語ったとすれば、なにか由来の不明な思いがおのずと込められてしまい、場合によっては余剰感が付き纏う。それを回避するために、私は「日本人」だと言ったとき、いくぶんかこの民族性がこっそりと裏側で染み込んでしまう。

1　システムとしての民族

民族は多くの場合、自生的存在であり、ごく普通に生き続けること以上の理由はない。誰にとっても民族はそれ以上に遡ることのできる理由などないシステムであり、手続き上の理由は多くの場合、無理にこじつけた根拠となる。それに対して、近代国家（国民国家）は、国家間、あるいは国際機関からの承認という「手続きの正統性」によって保証されている。この承認の最大の機関が「国連」である。国家は基本的に法と協定によって正統性ならびに正当性が保証される。だが民族は、一切の保証なしにそれとして自存する。そもそも民族は、正当化の手続きによって出現したものではない。事実、国家をもたない民族や特定の国家の一部に配置されない民族が存在する。イラク北部に生存するクルド人やイスラエル建国以前のユダヤ人は国家のもとで生存を続けてきたのではない。

国民国家のコードは、正統性／非正統性であり、民族のコードは持続的／非持続的である。国家は法によって制御される行政的な機能単位であるが、民族は長期にわたる履歴を含む互助的な生態学的な集合体である。そこには多くの種族や宗族が含まれることが多い。民族は自覚的に自己正当化されることによって成立した実体ではなく、持続的に生き続けてきたことの証なのである。そのため民族が一つの主体となるとき、なにか緊急時に直面しているか余分な思いが蠢いている感触がある。国家の境界(国境)は自覚的だが、民族の範囲は持続的営みによっておのずと決まる。そのため民族の自動的、自生的な集合の範囲と、自覚的で自己主張された境界は、おのずとずれ続けてしまう。

現行の国民国家群のなかで、国家に組み込まれるようにして民族がかたちを変えることはほとんどない。民族がかりに国家を形成したとしても、国家のもとに回収されたり、再組織化されて痕跡がなくなるということはありそうにない。ヘーゲルが『歴史哲学講義』でゲルマン民族の国家形成までを描いたとき、ゲルマン民族の特質を最初から個々人の自由を求める気質的な傾向だとしていた。ローマ人たちと異なり、他者の意見を聞き、内面化へと向かう傾向がゲルマン民族にはみられるという。その延長上で、内的な合法則性、合規則性が国家の形態を形成するように描かれている。

したがってヘーゲルの国家形成物語では、内面的に思考を実行する自由な個々人が、法に貫かれた国家を建設するように描かれることになる。この場合に議論の組み立てが、当初より思考し自由を求める個々人に置かれている以上、「民族」という固有のレベルがあってもなくても、実質的には同じ物語となる。思考し自由を求める個々人の集合体を「ゲルマン民族」という名前で呼んでいる。かりにゲルマン民族がヘーゲルの言う特質を備えるとしても、民族の例外に留まると考えてよい。ヘーゲルの議論は、裏返せばゲルマン民族は「世界史的な例外」だと言っていることになる。

ヘーゲルは民族を芸術や宗教のような民族の表現（民族精神）の形成過程として捉えようとしている。歴史的な事実から、民族の表現は多くの場合「自足」するとヘーゲルは述べる。だがヘーゲルの想定するような、自分自身を超えていくような形成過程のモードは、民族の表現プロセスとしては、ないものねだりに近い。民族の表現は、微細な工夫の多様化であって、履歴を統合するような統一体へと向かうようなものではない。ヘーゲルの議論は論理的カテゴリーの適用ミスなのである。

また個々人の先駆的な覚醒へと向かうさまざまなタイプの実存主義は、たとえ自分の基盤を「民族」に求めたとしても、まさにそこから脱することによって実存にいたるのだから、この場合には奇妙な捩れが出現してしまう。「民族的な実存主義」が、かりに言葉として成立しても、現実の姿は無理な形にならざるをえない。ハイデガーはいくぶんかその無理筋に踏み込んでしまった。

国家は行政的単位として、憲法や各種法をもち、税を徴収し、教育や医療のような公的な業務を行う。また雇用政策を行い、有効な需要を作り出す政策も行う。法は国民全員に対等に適用されなければならず、民族を理由にした差別は法の下での平等に悖る。だがこうした国民国家のもとで、民族が消滅するわけではない。国家は法の下での平等の形式として、民族を表面化させない仕組みである。しかし各種行政機構とは別に、民族は生活や固有文化の維持のシステムとして「潜在的な集合体」であり続けている。そのため国家と民族の間には、不透明な二重性とでも呼ぶべき事態が出現し、二重なものの距離感が比較的容易に変動する。比喩的に言えば、国民国家と民族は相互に決定関係のない媒介変数の関係であり、いずれか一方が主変数となれば他方が従属変数になるような変動が起きる関係である。一つの国民の間でも、異なった距離感でこの二重性を捉えることになる。右派は、民族の延長上に民族の利害や尊厳にかなうように国家の運営を構想する傾向があり、左派は国家のもとに民族を一つの固有性として配置しようとする。

それだけではない。民族の拡大の方向で国家機関を巻き込み活用する方向で国家運営が図られる場合（中国）もあれば、国家機関のなかに民族的統合の象徴が設置され、行政機構との相互補完的関係が国家の機構として安定的に設定されている場合（日本）もある。国家機関と天皇制は役割分担しながら、安定した距離感のなかに位置づいている。さらに民族の集合的主張が前景化して、国家そのものが分断・解消する場合（チェコスロバキア、ユーゴスラビア）もある。

民族と国家は、システムの仕組みからみて折り合いのよいものではない。孫文が、中国の清王朝を打倒して、中華民国を樹立するように体制転換の運動を行ったとき、旗印として三民主義を掲げた。「民権主義」「民族主義」「民生主義」である。「中国国民党第一次全国代表大会宣言」（1924年）ではこの三民主義は、運動方針としてそのまま継承された。民権主義では憲法制定による五憲分立による権利が一般平民に広く認められるとし、民生主義では個人による土地の所有権の確認、独占資本の制限が認められるべきだとし、さらに民族主義では、中国民族の自立と各民族がすべて平等であることを指針としている。

国民が等しく権利をもつ民権主義は、法による統治へとつながる。他方、民族主義は、満州族である清王朝に代えて、中華民族が中国を統治することであり、かつ他民族を対等に認めることである。「中華民族」という言葉じたい、19世紀末近くに作られた造語であり、実質的には漢族であり、漢民族が中国の支配民族となることである。これは内戦のような戦いの場面では最も有効に機能する方針である。この場面での民族主義の方針は、他民族の制圧を含む以上、国民の人権を法の下に個々に認める「民権主義」とは簡単に整合化しない。この場合、民族は、表面化すれば他と衝突するシステムであり、そうでなければそれ自体が埋もれる可能性に付き纏われた微妙で危ういシステムであることが分かる。孫文の構想も簡単には実現できず、辛亥革命（1911年）を経ても、清王朝の打倒は容易には進まず、一時、五族共和（漢、満、モンゴル、ウイグル、チベット）を唱えていた。すでに「三民主義の具体的実施方法」（1921年）では、この五族共和論は、他民族を中華民族に同化させ、融合させるという思想に、実質的に変貌していた。他の四民族を漢族に同化させて一大民族主義国家となさねばならないと訴えるに至っている。この方向性は、現在の中国で新たな装いのもとで実行され続けており、チベット、ウイグル、内モンゴル各民族の人権擁護について国際的な議論を巻き起こしている。「中華民族」という語に夢と大義を託し、自己正当化を重ねて語った中国の二人のリーダーが、毛沢東と習近平である。歴史の変化のなかで、民族は一方では戦いの根拠とも国家形成の戦略モデルともなり、他方では常に制圧され、抑圧される地政学的理由ともなった。

2 民族の表面化

国民国家のなかで、なにかのきっかけで民族そのものが表面化してしまうことがある。国家の運営に綻びが生じ、国家の名のもとでは解決しにくい問題が出現した場合や、国家間の合意で形成されたはずの国際機関が有効に機能しなくなったときである。国家の協定や約束が十分に機能しなくなれば、むしろ民族の側に力点を置いた選択が前景に出てくる。他方、グローバル化した国際社会では、物、人、資本はまさにハードルがないかのように国境を越えて流動し続けている。このことは国家の枠組みで処理できない多くの問題を出現させる。そのとき、しばしば民族が表面化し、理解や合理的な利益の配分を超えた主張が生じることにもなる。

国際機関が有効に機能しないという傾向は、近年、際立った形で出現してきた。イギリスのＥＵ離脱は、一時的な経済的混乱と不利益を被っても、国家間協定に留まらないほうが良いという選択である。国際協調が、国家や国民の利益になるとは必ずしも言えなくなる。ＥＵという単位には、この単位として取り組むべき大きな課題がほとんどない。あるとすれば「環境維持」の運動ぐらいである。それは長期にわたる課題で現実の成果が簡単には出ない課題である。そのため時として「環境維持」は、長期的な「理念」となる。そうした場面で、選挙のたびに「民族派」の政党が得票率を伸ばし、第２、第３政党として躍進してくることになった。国際協調ではやっていけないという漠然とした雰囲気が出現する。このとき各国の選挙結果からみれば、左派と右派が両極化する。そうしたときに持って行き場になるのがイメージとしての「民族」である。

日本は、２０１９年に国際捕鯨委員会（ＩＷＣ）から脱退した。この委員会は、国際捕鯨取締条約に基づき、鯨資源の保存及び捕鯨産業の秩序ある発展を図ることを目的として設立された国際機関であり、日本の条約加入は１９５１年である。クジラの十分な資源量は確保されているという度重なる日本のデータに基づいた主張にもかかわらず、採決を行えば日本の提案は何度繰り返しても不採用になった。クジラの頭数を一定に維持できれば、クジラ漁そのものは広く認められるべきであるという日本の主張と、そもそもクジラ漁は高等哺乳類虐待であり、獲ってはいけないことだという思想信条の思いがぶつかり、採決に持ち込まれても、日本の主張が通ることはなかった。そこで２０１８年12月26日に日本はＩＷＣを脱退することを通告し、２０１９年６月30日に正式に脱退した。その後、日本はミンククジラ、ニタリクジラ、イワシクジラの商業捕鯨を再開している。ノルウェーやアイスランドとともに商業捕鯨国に戻ったのである。

この委員会の最大の資金拠出国である日本の脱退は、この機構そのものに動揺を与えた。日本に引き続いて脱退を考える国が出る可能性が高まったからである。このとき日本の伝統的な食文化の維持という要求が、国際協定での多数決で決められるべきものなのかどうかという疑念が頭をよぎる。ここでは民族文化の固有性が、潜在的ながらおのずと表面化している。和歌山の太地町には、セミクジラのクジラ慰霊碑があり、クジラ記念館がある。そこには海の命をいただいて飢饉を乗り切ってきた歴史の堆積がある。

最も弱い主張にすれば、日本の科学的データに基づく主張が、クジラ漁は原則禁止という思想信条に基づく反対に押し切られていることになる。ここでの対立は、科学的データか、高等哺乳類の愛護かというバイナリーコードとなる。バイナリーコードは「排中律」を基本としており、物事を過度に明確にする。どちらかを選ぶという選択の前に立たされるのである。事柄の性格からみて選択肢になっていないものが、選択肢として設定され、手続きの機能性としてどちらかが選ばれる。そして投票では、日本の主張が通ることはなかった。固有の文化の維持の提案が、多数決で可否の判定を受けることの制度的な不具合は、国際協定や国際機関そのものの意義を低下させてしまう。

二酸化炭素の大気への放出量抑制を世界レベルで推進するための協定はパリで結ばれ、「パリ協定」（2015年）と呼ばれる。アメリカのトランプ大統領（当時）は、この協定からアメリカは離脱すると宣言した。しかも堂々と宣言したのである。二酸化炭素の削減は、長期間に及ぶ科学技術の進展の成果のもとではじめて実行される。そのため自然エネルギーの活用へと各国のエネルギー政策を方向付ける効果はある。問題は、国際協定そのものが有効に機能しないというのがトランプの直観であり、感触である。事実、国際機関の多数の事務局長や主要スタッフは、投票によって中国人が選ばれるようになった。アフリカ諸国も同じ1票をもつのだから、経済支援を通じて投票行動にはすでにバイアスがかかっている。

二酸化炭素排出では、現時点でアメリカの2倍ほどの排出量をもつ中国が、最大の懸案であることは誰が見てもただちに分かる。だが中国は、「自分のことは自分で決める」あるいは「自分の規則は自分で設定する」という大原則のもとで、国際協定を自国の利益のために活用する。つまり中国にとって国際協定は、基本的にどう利用するかという「任意の提案」であって、守るべき規約ではない。ここには毛沢東、習近平に共有されている「中華民族大復興」の夢も見え隠れしている。大民族主義と共産主義（全体主義）とは、本性的な折り合いの良さがある。ここまでくれば実は国際協定の意義が変質してしまっている。

3 民族のイドラ

近代の初頭で、近代科学を方向付けた一人にフランシス・ベーコンがいる。近代科学は、ガリレオによる数学、デカルトの機械論、ベーコンによる実証観察の3つの座標軸で張り出された位相空間のなかで展開された知である。ガリレイは、数学を基礎にすえることで知のモードを変更し、デカルトは方法的な手続きである機械論を前面に出して、現実性の成り立ちの仕組みを変更し、ベーコンは帰納法を明示して探求の仕組みを刷新した。ベーコンの『ノヴム・オルガヌム』(新機関)に、「イドラ」の議論がある。そこでは4つのイドラを分析し、認識を誤りに導く仕組みとして解明している。たとえば「種族のイドラ」は人間の本性にもとづく誤謬の源泉であり、人間であることによって備えてしまっているイドラである。それ以外に、言葉や情報が広く授受されることによって生じる誤謬の源泉(「市場のイドラ」)、生活環境のなかの狭い枠内で経験が形成されることによってもたらされる誤謬の源泉(「洞窟のイドラ」)、特定の考えのもとで経験を積み上げたためにバイアスがかかって生じる誤謬の源泉(「劇場のイドラ」)があるが、ベーコン自身が認めるように、これらは視点を切り替えるようにして、解除できるようなものではない。繰り返し注意喚起して、それに嵌らないようにするための注意事項に近いのである。ことに種族のイドラは、そもそも人間に備わった誤謬の源泉であれば、どう対応することなのかが良く分からない。

イドラの取り出しは、誤謬の源泉を設定することで、事実の観察、そこから確実な認識の形成に向かうための注意事項である。ベーコンの設定した帰納法は、特殊な事柄を捨てて知識の普遍性を高めていくやり方だが、その手続きには普遍化と同時に裏側で特殊な事柄の排除が進行する。普遍化と排除過程は裏合わせになっている。この手続きの出発点に、最初に全般的な排除項目が設定されているのが、イドラ論である。だがイドラが簡単には排除できないところをみると、それはそれでいずれのイドラも別の経験領域で十分な機能を果たしているのである。

今、これらの4つのイドラに並んで、「民族のイドラ」を設定してみる。民族そのものが複雑なシステムであるために、項目も複雑になる。ここでの特徴になるのは、(1)持続的な伝承として継承されており、真／偽とは別のコードで作動している。基本的には持続可能性／持続不可能性のコードで動いている。(2)数百年、時として数千年に及ぶ長期間の持続的な生活社会の維持の結果、高度な文化や表現を形成していることがある。そこには食生活文化や伝統工芸、宗教・芸術的な表現まで多くの文化的価値が含まれる。(3)地政学的な脅威に恒常的に晒されており、国家のような交渉・協調戦略がないために、ただちに戦いとなりやすい。(4)戦いの予兆に晒されれば、恒常的に「自己正当化」の基盤として、民族そのものが過度に強調される傾向がある。それは生活防衛や社会防衛を超えて、本性上保持されねばならないみずからの本質として顕揚されることが多い。(5)民族の顕揚のさいには、自民族／他民族のコードが出現し、多くの場合、対抗形をとることで、自己同一性の感情的な確信を獲得する。そこに持ち込まれるのが、自尊心であり、由来の不明なプライドである。(6)感情的な表出は、感情の疑似論理的な本性に照らして、しばしば「投射」の原理を活用する。

こうしてみるとベーコンの設定した4つのイドラと同様に、民族のイドラも常に注意を向けながらそれを有効に活用し、かつ生活上は余分な振れ方を避け、淡々とかみしめていくように営まれるものであることが分かる。つまり国民国家の狭間で、表面化しないように隠されているのが民族であり、ひとたび揉め事や抗争が起きれば付き纏うように引き出されてしまうものが民族である。その意味で、民族とは一つの罠なのである。そのときの注意点は、たとえどのような民族の思いも、真偽の吟味を通じて形成されたのではないのだから、民族の主張は常に一つの個性であるという位置を外すことができないことである。

4 民族の顕現

民族が姿を現すとき、芸術文化のかたちをとって、多くの人にとっておのずと理解できる姿をとるか、他民族との争いのなかで、変容した現実のなかに現れ出るか、あるいは意味の理解しにくい極端な集合的挙動として出現する。いくつかの際立った事態を取り上げてみる。

(一)民族の制圧

中国には、現在56の民族が含まれている。国家が自国を巨大化し、周辺民族を制圧するとき、民族間の衝突が起きる。国家と民族の争いのような場面でも、現実に起きていることは多くの場合民族間の争いである。たとえば漢民族とモンゴル民族の争いなのである。内モンゴルは、モンゴル人が遊牧生活をおくっていた地域である。そこには数百年にわたる民族の生活の知恵がある。草原を維持し、遊牧で生を営んでいる。

辛亥革命後、そこに国民党が入り込み、後に中国共産党が入って、日本軍を含めて一時、三つ巴の争いの舞台ともなった。当時の中国共産党の文書である「三五宣言」(1935年)では、日本は「帝国主義」と称され、蔣介石の国民党は「軍閥」と称されていて、中国共産党はこの両勢力を打倒して、モンゴルの固有政府を樹立し、他の民族と「連邦関係」を結ぶことになるという構想が述べられている。だがこの局面でも、実質的には毛沢東は、「中華民族」のもとに他の弱小民族が統合されるかたちを考えていた。戦中、戦後中国共産党が施政権を取り、漢民族が内モンゴルに入って、草原を耕し農地化した。

土が表面に出れば、砂漠化が進行する土地である。大陸の強い風で土が舞い上がり、微小な砂になって一面を覆ってしまう。そうなれば砂漠の範囲は、放置すればしだいに広がってしまう。牧草地である草原は、土を表面化させず、土中の水分を維持し、地表面の温度を上げず、砂漠化を食い止める最重要な仕組みである。だが民族の強制的な置き換えは、制圧側の民族の方針を一貫して押し付けていくことである。草原を次々と耕してその結果、内モンゴルには広大な砂漠が広がることになった。機械的な草原の農地化は、周到な手順を踏まなければ、おのずと砂漠化を招いてしまう。

実は、日中戦争が開始される以前に、拡大を続けていたゴビ砂漠を緑地化しようと活動を続けていた日本人がいた。遠山正瑛(1906~2004年)である。遠山は、後に1972年に日中国交正常化以降、一人で訪中し、砂漠の緑地化にあたった。関連する民族とはまったく異なるものが、利害に関わりなく進めたほうが良い事案がある。またそれが民族の思いを引き継ぐことにもつながる。

中国政府も砂漠化を食い止められず、1930年代に村があった場所はゴーストタウンになっていた。また2000万人以上の難民を生んでいた。一般に「死の土地」と呼ばれるクブチ砂漠で、遠山は日中40度を超えるなかで歩き回り、手作業で砂を掘って水源を発見した。水は川のように地表ではなく、地下を流れている。掘れば水脈に当たるのが、水資源である。民族とは、比喩的には、「こうした地下水脈のように現れることなく、流れ続けるもの」だと語ってもよい。遠山は水脈を発見し、100万本のポプラを植林している。死の土地が2万ヘクタールの緑の森になり、農地化にも成功した。ひとたび砂漠化すれば、常軌を超えたほどの努力をしなければ植生は回復されない。

(二) 初期歌謡論

歌の出現は、日本の心情と表現のかたちを決めるほど決定的な局面を通過している。民族の表現は、固有の形成過程を辿り、その分だけどこか運命性を帯びる。運命性というのは、さまざまな手段での表現を通じて、民族そのもののかたちをおのずと決めていくからである。たとえば日本の「和歌」の出現と変容の経緯には、日本語の基本性格の組織化と大和民族の表現領域の輪郭の形成が含まれている。このテーマは多くの人によって取り上げられた題材であり、「民族の心性」の固有性を明るみに出していく作業でもある。賀茂真淵、本居宣長、折口信夫、吉本隆明らによって論じられてきた経緯があり、それぞれの論者によって民族の心性の取り出し方には、力点の違いが出てくる。ここでは吉本隆明の『初期歌謡論』を取り上げる。民族性という「構造」の出現を浮かび上がらせる記述ができたのは、この著作だけだからである。

吉本隆明の著作では、「構造」そのものがある種の「疎外論」の変容で形成され、それ自体で定型になるという大枠での議論の進め方がみられる。これはある意味で「構造生成論」なのであり、構造そのものは文化的な表現領域で常に「生活するもの」「自立するもの」を超え出る剰余となる。その意味で議論の作りは、「構造的疎外論」である。

言語的な表現は、本来であれば別段なくても済む。だがおのずと出現し継承され定着していく言語的な表現は、民族の意識的な心性と集合性に独特のバイアスを与え、それらの輪郭を形作っていく。自己表現がみずからの表現という自己表出性を超えて、共同体の文化的な制約となる場面が、疎外論の転用されている場面であり、それを通じて共同性のなかに「幻想領域」が形成されるという「文化的構造」の出現を読み解いていくのである。このとき部族や民族の長は言語的表現を通じて、互助生活運営上のリーダーであることを超えて、いわば象徴性のレベルでも独自の「神話的意義」を獲得していく。こうした言語表現は、共同体のメンバーにとっては、理解と共有を通じて共同性そのものの意味をもたらし、共同体の一員であることの内的意味を獲得する手掛かりとなると思われる。これによって「共属意識」と呼ばれるものの形成が進行する。

だがこうした表現の形成過程は、過去の文献を読むのでは容易には見出すことができない。たとえば『古事記』ではスサノオが詠んだとされ、日本最古の短歌とされている有名な和歌がある。「八雲たつ出雲やえがき妻ごみに八重垣つくるその八重垣を」である。韻を踏み言葉のリズム的な音楽性が前景に出ている。言語表現としては、技巧がちりばめられており、とても太古の最初の和歌だとは考えられない。おそらくかなり新しい和歌であり、何段階かの訂正が行われて到達された表現型である。

そこでまず定型の和歌が出現するまでの経緯が問われることになる。推移の一つの軸は、音読みで発せられ文字化する以前に詠まれたものか、書かれることがあらかじめ見込まれた文字表記用のものかの区分であり、音読みのなかには五、七から外れるものでも、音を長く発することで定型に近づいていくものがより古い時代に配置される。もう一つの軸が、文字表記用の言語表現のなかに、和語だけではなく、漢語が表記に組み込まれていくような移り行きである。漢語を表記に導入するさいには、特異な作為が込められ首長の言語表記上の神格化が伴うものだとされる。民族の意識的なかたちは、こうした表現の形成とともに進行していくと考えられる。こうした和語の表現の形成は、その後も高度な技巧が形成されていくが、民族の自明化された心性の基礎的な輪郭を作っていく。たとえばほとんど誰でも知っている「赤いリンゴに唇よせて、……」という大衆歌謡も七、七の語で作られ、「ああ川の流れのようにいつまでも……」も五、七、五で作られている。日本人にとってはもはや理由の不明な心地よさと運動性を帯びており、「共属意識の基層」に含まれてしまっている。こうした形成過程を経て、自明化された民族の心性がはっきりとした輪郭をもつようになると考えられる。表現のなかには、微妙な形で民族の心の動きの輪郭が出現していることが分かる。

(三) 捩れた二重性

韓国の諸関係は複雑で捩れている。韓国と日本との関係のことではない。韓国という国民国家と民族の思いが捩れているのである。日本との摩擦は繰り返し起きており、2019年夏から2020年の現在まで続く「騒動期」は、比較的長いものである。

この時期にはっきりと顕揚してきた韓国の民族コードに、愛国／売国、被害者／加害者という比較的個々人を強く拘束するコードがある。朴槿恵が就任演説で日本を名指ししながら「被害者と加害者の関係は、1000年経っても変わらない」と国内向けに出した声明がある。加害者か被害者かという二分法コードは、流動する国際情勢のなかで、過度に自分自身を拘束する。自分自身を被害者に配置することで、被害者に相応しい待遇と配慮を受けるべきだとする思いが込められたコードである。

これは1965年の日韓で結ばれた「日本国と大韓民国との間の基本関係に関する条約」(日韓基本条約)と同時に締結された「財産及び請求権に関する問題の解決並びに経済協力に関する日本国と大韓民国との間の協定」(日韓請求権並びに経済協力協定)のような国家間の条約のようなものでもなければ、個々人の行為に関する指針のようなものでもない。少なくとも国家間の関係であれば、相互の国益をそのつど最大化するための交渉が外交である。他方、個々人の思いや個々の履歴は圧倒的に多様である。あらかじめ被害者だと自己主張することは、多くの個々人の感情や思いの多様さを抑え込んでしまう。とすればこうした言明は、民族の漠然とした思いに枠を嵌めるようなコードであることが分かる。大統領としての発言であれば、民族感情の政治利用であり、実質的には国内政治向けの発言である。

韓国内では政治的な構想をめぐり、国家と民族の距離の取り方が、異なっている。基本線だけを取り出すと、左派は、民族を中心として北朝鮮と韓国の統合を語り、保守派は国家のもとでの連邦制のようなかたちで南北の協同を構想している。国家と民族の距離感が、未来の国家像にも及んでいる。そうした状況下での被害者/加害者コードの設定である。このコードは、一般には個々人の選択肢を減少させる。選択肢を減少させるコードは、それ自体としてみれば劣悪である。被害者だとしてもそこには多くの選択肢があり、加害者と認定されたものにも多くの選択肢がある。その選択肢へ向かう方向の設定が、プログラムである。

愛国/売国は国内コードであるが、事態を複雑にするのは、別のコードが重ねられたときである。そこに親日／反日という二分法コードが持ち出され、愛国＝反日／売国＝親日という二重に自己正当化されたコードが出来上がってしまった。二分法コードによってくっきりとしたかたちを取った民族感情は、二重に重ねられたこのコードによってさらに向かう先を得たのである。

ここには投射の原理が関与している。フロイトの考案したいくつかの原理のうち、これは最も貴重な原理の一つである。自分の感情は、自分自身の疑いえない現実であるが、その感情が外からもたらされたものであるようなかたちに作り替え、そのさいに感情の内実にいくぶんか変化を加え、さらに外からそれをもたらしたものについての感覚知覚、すなわち観察と情報の探索に、持って行き場のない感情のエネルギーを備給するのである。

投射には三つの作為的操作が含まれている。（1）自分自身の感情を自分以外の外からもたらされたものであるとする感情の由来の内／外の転換と、それによって（2）感情の内実に自分にとっても明確になるほどの過度の自明化を行い、さらに（3）感情のエネルギーを外の詳細な分析に向けるという感情の感覚知覚への転換である。感情は制御しにくいが、感覚知覚による観察は際限なく発動できる。感情の由来の内外転換によって、由来も内実も不明な民族感情が出現する。現実には愛憎混合体である。そして持って行き場のない思いは、外から向けられたなんらかのきっかけへの対抗感情となり、感情そのものが明確なかたちを取る。感情の感覚知覚への代償的置き換えでは、ドイツ演劇の舞台装置に日章旗を見出したり、福島の放射能汚染地図を作製したり、アメリカ駐韓大使（当時）ハリス氏が日系人であること等々、言えることを次々とみつけることに、信じられないほどのエネルギーを仕向けることになる。不分明の感情を被せることのできる観察事実であれば、あらゆることを持ち出すことができる。

ここにおのずと多くの見え透いた虚偽が含まれてしまう。体質的には、この民族感情の発露は多くの不可解さを残してしまう。

この「民族的投射」は、概して多くの国民にとって視野を狭めてしまう。日本製品不買運動が経済合理性に適うのかどうかは不明であり、民族的投射が個々人の経験の繊細さの蓄積、すなわち「民度の形成」に適うのかどうかも不明である。投射とは、過度の一面化をもたらし、フロイトが「妄想形成」の仕組みだとしたように、多くの情報をもちながら自分自身の選択肢を減らす仕組みでもある。そのことによって確保されているのは、自分自身の正当性の感情、すなわち「自尊」である。かりにここまでくれば、反日とはむしろ一つの「民族文化」であり、機会に応じて出現するある種の「政治運動化した民族行事」なのである。言葉の上では、韓国でも日本との和解が繰り返し語られる。だが反日を通じて、自己正当化と自尊確認を行っている者は、かりに和解すれば自己正当性の根拠を失うのである。これがこの民族感情の脆さと執拗さの理由である。

5―民族の品格

民族の多様性は、原則尊重されるべきものである。だがそれは個々人の多様性が法の下で保障されるような仕組みにはならない。法の下で保障できるのは、民族の違いによって法のもとでの不平等が起きてはいけないという限定的なかたちである。論理的には多様性は常に均質さへの傾向の対抗として語りうるだけである。これでは論理として割り当てられた「固有性」に留まる。

民族の固有性は、他民族の文化や風習を身をもって体験する場面ではっきりする。体験的に学ぶことが民族の固有性のあり方である。他方、民族を自分自身の正当化の根拠とすることは、なくても済む摩擦を引き起こす可能性が高い。各民族は、個々人の個性と同様、周囲や他者からみて尊重されるべきものだが、当人が自己主張の理由にすることは、民族そのものの自然性に悖る。民族は、言葉で自己主張した途端にすでにいくぶんか無理がきている。これは「民族という事象のジレンマ」である。民族の固有性は長期の持続的生存の結果、出現し継承され、他者に対して別様の可能性を提示し続けるが、民族の固有性の担い手はその民族性に自足してはならず、自己正当化の論拠にしてはいけないのである。

民族は、生活の延長上に直接感じ取ることのできる「現象学的な生態学的集合体」である。それに対して、国家は活動のかたちであり、訓練しなければ直接感じ取ることは難しい。そのため外国を特定するさいには、どうしても民族名称を使いたくなってしまう。たとえば新型コロナ19への対応として、「中国人の日本への入国を拒否せよ」という思いがよぎったとする。これはごく普通の言語表現であるが、こっそりと中国人が病気の原因であり、さらには中国人そのものが「病原体」であるというような思いが被さってしまう。そもそも中国人という語そのものが、民族と国民を貫くようにすでに使われている。

来日感染者の実数を減らす（水際対策）ためには、「中国にいる感染リスクをもつ外国人」すべての訪日を管理下に置くことが望ましい。だがそれに該当するのは中国人だけではない。中国に2週間以上滞在する外国人はすべて含まれる。民族は、生活感覚での直接性として、認識にとって過度に明確なイメージを結びやすく、過度に焦点化する。だがそれは事態を不正確にするだけではなく、他民族に対して「潜在的な差別意識」に触れることでもある。すると民族に関わる言語表現には、いつも「少なくない煩わしさ」が含まれ、それをおおらかに引き受けていくしかない。これは「民族に関わる言語表現のジレンマ」である。この引き受けが、民族への気遣いや配慮となる。民族の語りはしばしば過度の特定化を伴い、語りを通じて焦点化が起きれば、同時に事象ごとの細かな配慮が必要となる。語そのものは、差別用語であるかどうかを認定する単位ではない。どのような言葉も時として寓話の材料になったり、歴史記述のランドマークになったり、さらに話のネタに使われることもある。語の使用のネットワークこそ語の内実、語の含みを決めていく。語と現実は、一対一対応ではなく、マトリックスで関連づくことになる。他民族への思いは、「山川異域、風月同天」であり、基本的に生態学的な配慮となる。

各民族は、自分自身の履歴をもつ。そのため民族の来歴を書き留めるような「物語」が作り出されることが多い。大和民族の場合、『日本書紀』や『古事記』がそれに相当する。スサノオやオオクニヌシが登場するあの物語である。苦難に満ちた戦いの歴史が描かれることが多い。どのような物語でも、来歴の先に多くの選択肢を拓くことが歴史記述の基本となる。天照は君臨するが、実働部隊を弟のスサノオに委ねている。スサノオは実効的に戦うが、オオクニヌシは民衆をいたわり「和」を作り出していく。物語は原則、新たな選択肢の可能性を内部に含み、新たな可能性を提示し続けることで、まさに「よい物語」になることができる。

伝承として成立する民族の歴史は、自分自身の来歴に見通しを付けてくれるが、現在の根拠となるほどの強い理由付けではない。だが未来によって次々と書き換えられるほど恣意的なものでもない。これが「歴史記述のジレンマ」である。再組織化され続ける経験の履歴において、二種類の投射が行われる。それが「起源」であり、「未来の真の姿」（究極目的）である。

起源は、再組織化される現在への反省の手掛かりとなり、未来の真の姿は再組織化の選択肢の増大への手掛かりとなる。歴史は現在の行為のもとでそのつど再組織化されるが、再組織化の意義を明らかにするものこそ未来へ向けた選択なのである。

参考文献

秋富克哉・安部浩・古荘真敬・森一郎編『ハイデガー読本』法政大学出版会、2014年

阿南友亮『中国はなぜ軍拡を続けるのか』新潮選書、2017年

綾部恒雄編『文化人類学20の理論』弘文堂、2006年

李栄薫『反日種族主義――日韓危機の根源』文芸春秋、2019年

ウィルヘルム・ヴント『民族心理学――人類発達の心理史』比屋根安定訳、誠信書房、1959年

小川靖彦『万葉集と日本人――読み継がれる千二百年の歴史』角川選書、2014年

折口信夫『口訳万葉集　上・中・下』岩波現代文庫、2017年

川田順造・福井勝義編『民族とは何か』岩波書店、1988年

池澤夏樹訳『古事記』河出書房新社、2014年

上条守『万葉集を楽しむ』学芸みらい社、2015年

竹田恒泰『現代語　古事記』学研プラス、2011年

趙景達・原田敬一・村田雄二郎・安田常雄編『講座　東アジアの知識人2　近代国家の形成』有志舎、2013年

孫文『三民主義　上・下』安藤彦太郎訳、岩波文庫、1957年

張競・村田雄二郎編『共和の夢 膨張の野望　1894-1924』岩波書店、2016年

テンジン、イリハム・マハムティ、ダシ・ドノロブ、林建良『中国の狙いは民族絶滅――チベット・ウイグル・モンゴル・台湾、自由への戦い』まどか出版、2009年

朴裕河『帝国の慰安婦——植民地支配と記憶の闘い』朝日新聞出版、２０１４年
福島香織『ウイグル人に何が起きているか——民族迫害の起源と現在』ＰＨＰ新書、２０１９年
新宮一成・鷲田清一・道籏泰三・高田珠樹・須藤訓任編『フロイト全集11　１９１０-11年　ダ・ヴィンチの思い出　症例「シュレーバー」』岩波書店、２００９年
ヘーゲル『歴史哲学講義　上・下』長谷川宏訳、岩波文庫、１９９４年
ベーコン「ノヴム・オルガヌム」服部英次郎訳、『世界の大思想6　ベーコン』河出書房新社、１９６６年
武藤正敏『文在寅という災厄』悟空出版、２０１９年
楊海英『モンゴル人の中国革命』ちくま新書、２０１８年
山内昌之『民族と国家——イスラム史の視角から』岩波新書、１９９３年
吉本隆明『初期歌謡論』河出書房新社、１９７７年
クロード・レヴィ＝ストロース『人種と歴史　人種と文化』渡辺公三・三保元・福田素子訳、みすず書房、２０１９年

第7章 無名の生と権力の語り
――フーコー「汚辱にまみれた人々の生」における「現実」の罠

廣瀬浩司
HIROSE Koji

1 規律権力と「カラス」の生

『監獄の誕生』の「パノプティズム」と題された章の冒頭においてミシェル・フーコーは、ペスト発生が宣言されたときに取るべき手段についての、一七世紀終わりの規則を紹介している。それは空間的な区域割り（quadrillage）によって、住民の出入りを監視する規則である。それぞれの町のそれぞれの階層にしかるべき監視者が割り当てられ、食糧も個々の家に滑車と籠で送り込まれる。その記述の一部を引用しておこう。

どうしても家から外出しなければならないときには、あらゆる出合いを避けるように、順番に外出する。歩き回ることができるのは、地方長官と補佐官と見張りの兵隊に限られるが、そのほか汚染している家のあいだを、死体から死体へと「カラス」も歩きまわる。彼らが死ぬがままにされたところでどうでもよいことである。「カラス」とは「病人を運び、死者を埋葬し、清掃するなど、卑しくおぞましい多くの仕事をする、下賤な人々である。」切り分けられ、不動で、硬直した空間。それぞれがふさわしい場所につなぎ止められる。動けば命にかかわり、感染にさらされ、あるいは処罰を受ける(1)(SP 228-229/198)。

フーコーが「規律権力」と名づけるこの仕組みについて、三つの特徴を指摘しておきたい。

(一)下からの記録の連続性

「規律権力」の目的はたしかに「監視」ではあるが、フーコーがそれ以上に重視しているのは、生者と死者のあらゆる行動が、しかるべき人物によって「記録」され、伝達されることである。厳密な区域割りと階層秩序は、すべての人の振る舞いを、周縁から中心へと伝達するためのテクノロジーである。書かれた文字の伝達によって、「下から」の権力の伝達が保証される。権力が制御すべきは、何よりもこの伝達に切れ目が生じないようにすることである。

(二)個人の「真理」への束縛

フーコーがもう一つ強調しているのは、こうした記録と伝達のテクノロジーによって、「個人」にしかるべき「真理」が割り当てられるということである。無条件に「名と年齢と性」が記録され、その死、要求、振る舞いの逸脱などが記録される。さらに医師による病理学的な記録が重ねられる。こうして政治的・医学的な権力によって「個人を特徴付けるもの、それに所属するもの、それに起きること」が記録されていく。個人が身にまとう人格的な特徴ではなく、その「真の」名、場所、身体、病気が記されるということである。

これは個人の「現実」の行動を、正常と異常、規則と逸脱、そして真と偽の二項対立の網目によって「試練」にかけることである。従順であろうとなかろうと、何か現実に振る舞えば、この対立のシステムが作動し、「ひと」はある種の「個人」になる。自由に振る舞う個人こそが、現実的な規律システムの作動の条件であると言ってもよい。こうしてひとは、いわば仮面をかぶった社会的な存在から、その「真の」存在へと結びつけられる。これは社会的なラベリングとは逆のものだ。ラベルはむしろ消し去られ、個人は「振る舞い」の次元において、規律権力が生産する「真理」に結び付けられる。

(三) 現実＝想像の二重体としての権力装置

この空間の区域割り、記録の伝達、個人の標定などの方策がはたして「現実」に成功したのか、それは別問題である。それは失敗したかもしれない。しかし「成功」と「失敗」の対立でこの事態を捉えるべきではない。重要なのは、ある歴史的時点において、このプログラムが望ましいものとして受け入れられたこと、そして同時に、それに対する反抗、抗議、要求など、規則への違反も存在したこと、この総体を捉えることである。

だから権力は「現実的であると同時に想像的なもの」(SP 231/200) である。当時受け入れられた現実的なプログラムが、「現実」との遭遇において、個人の「真理」に関して効果を引き起こしたことが重要なのだ。

「現実」概念については後述する。ここで指摘しておきたいのは、右の引用において「カラス」と呼ばれる無名の形象＝人物（figure）の位置付けである。というのはこの「カラス」の振る舞いだけが、権力の内部にいながら、個人の真理につなぎとめられていないようにみえるからである。彼らの振る舞いは「卑しくおぞましい」とのみ形容され、その「下賤」な生は、その死すら問題にならないのだから、記録システムの網目にかかることはない。彼らの生は規律権力のシステムの作動には関与しないようにみえる。だが「現実」には、彼らの仕事なしにシステムは作動しなかったはずである。死体が放置され、新たな感染源となることは、規律権力が取り除くべき極めて現実的な障害であったはずだ。

だが事態はさらに複雑である。というのは、フーコーが「規律権力」を理論化しようとしていなければ、この「カラス」の記述は現在の私たちに届かなかった。規律権力がなければ、彼らの生は知られなかった。だからそれは「剝き出しの生」（アガンベン）ではなく、あくまで権力を記述することにおいて、しかも権力側の文書において、たまたま拾われた裁ち屑のようなものにもみえる。事実、上記の引用で、「カラス」の説明は議論の展開にまったく影響していない。

しかしまた、フーコーがわざわざ、多くの文書のなかから、この記述に立ち止まり、引用したのもたしかなのである。こうして彼らの「下賤な」生は、つかのまであるが、ほとんど永遠に、私たちの「事象の地図」のなかに書き込まれる。その軌跡は、およそ「リゾーム」や「マルティテュード」といった勇ましい装置を形成しないが、確実に当時の「歴史的風景」（メルロ＝ポンティ）の一部を描き出している。こうした生の軌跡を本稿ではシステムの「ゼロ度」と呼ぶことになるだろう。「自由に振る舞う個人」と異なり、それは規律権力の作動のシステム論的な条件ではないし、いかなる「名」も、いかなる「真理」も割り当てられることはない。にもかかわらず「カラス」たちの歩みは、「現実」に「起こらなかったということがありえないような何か」（後出）である。それは、歴史的風景から浮かび上がり、現代へと侵入する。私たちはそれを忘れることはないだろう。

＊

本稿の目的は、上記のような「下賤な」生の記述にこそ、フーコーの可能性を見出そうとすることである。しかしその過程で、フーコーが見出した罠、彼が仕掛けた罠、そして彼自身がかかってしまった罠などに出合うことだろう。

従来フーコーの理解は、二つの方向に分断されてきた。ある者は『言葉と物』（１９６６年）前後の初期のフーコーに定位し、「人間の死」を語るフーコー、すなわちカント的人間学や人間諸科学の批判者としてのフーコーを重視する。こうした「ポストモダン」的な「言説」主義者たちがしばしば暗黙の標的としているのは、現象学的な人間理解であるが、その批判はあまりにも粗雑である。

他方で、イデオロギー批判の論者たちは、規律権力、生の権力、統治性論などに、社会批判に有効な概念装置を見出そうとする。多くの場合フーコーは、それらの「モデル」や「理念型」[2]をそのまま「現代の解読」に有益であるようなかたちで提示し、読者を巧みに遠隔操作している。フーコーを「使う」ことで、ひとは罠にかかる。フーコーを「現代的に」解釈することで、ひとは自己を解釈してしまうということだ。こうした手法をフーコーはマルクスやニーチェから学んだと思われる。

この二つの読解の間には多くの場合、対話はないが、彼らがいずれも見逃しているのは、アーカイブで発見した資料に対するフーコーの情念《パッション》である。あるいはそうした資料に内在する情念である。この情念の過剰さだけが、「カラス」の記述を可能にした。とはいえ、フーコーのもくろみは、単純に当事者の一人称的な語りや「生きられた経験」やその情動の記述をめざすものでもない。自己と自己との関係を、どれだけの制度とテクノジーと知が媒介しているか、そしてそれがいかに歴史的なものであるか、フーコーはよく自覚していた。そうであるならば、たとえ「無名の生」について語ったとしても、フーコーが記述しているのは、あくまで権力諸関係なのか。つまり、そこで取り上げられる形象や語りは、あくまで権力が見せたり語らせたりする舞台なのではないか。フーコーは、常に権力側から語っているのか。こうした問いが『監獄の誕生』では宙吊りにされている。

この問いを直接に取り上げたのが、「汚辱にまみれた人々の生」という題で訳されている論文である。本稿ではこの1977年の論文を取り上げ、問題を整理することとする。

2 封印状と権力の語りの倫理

「汚辱にまみれた人々の生」(3)（VHI 237-253/201-237）は、フーコーが主に監禁命令書に関して調査していた時期に構想していた一連のアンソロジーへの序説として書かれたものである。この論文がとくに後半で問題にするのは、「封印状（lettres de cachet）」であり、これが後に歴史家アルレット・ファルジュとの共著『家族の無秩序』(4)というアンソロジーとして刊行される。

封印状とは、フーコーが問題にする一八世紀のアンシャン・レジーム下のフランスにおいては、「反乱を企てた貴族とか不実を働いた臣下といった国事犯の追放または監禁を、一切の司法手続を経ることなく」国王が命ずるもので、一般には国王の専横の象徴とされる。しかしフーコーによれば、この封印状にあふれているのは、「踏みにじられ追い出された妻や夫、浪費癖、利権争い、言うことを聞かない若者」など、家族や地域の日常生活に無秩序をもたらす者に対する監禁の要求である。それは「下から来る嘆願」であり、封印状はそれに対する応答でもあった。王権の介入は、受け入れ可能であるばかりか、望まれたものでもあり、家族たちと王権とはいわば「共犯の罠にかかっていた」(VHI 2447/223)とさえフーコーは言う。一つだけ引用しよう。(5)

マテュラン・ミラン。1707年8月31日にシャラントン施療院収監。「彼の狂気は、家族からつねに身を隠し、林野で世に埋もれた(obscur)生を送り、訴訟を起こし、回収の見込みもなく高利で貸し付けをおこない、その哀れな心を身知らぬ街路にさ迷わせつつ、自分がより偉大な事業を行いうると思い込むことにある」(VHI 237/203)

訴訟や高利貸し付けをおこなうことと、林野に隠れて彷徨することがどう関係するかが不明だが、この種の混乱と不統一にこそフーコーは嘆願者の情念の源をみる。もちろんこうした嘆願をおこなうとき、一般の人々は代書人に頼ったが、にもかかわらず嘆願は多様で、滑稽なまでの誇張にみち、卑小な人物の振る舞いがときにおそろしく怪物的に描かれる。そこに監禁を要求した者たちの「暴力やエネルギーや過剰さ」が感じとられるとフーコーは言う。封印上のなかで、微細で下賤で無名な生が、エネルギーをはらんだ「粒子」（VHI 240/209）になる。このような言説をフーコーはどのように位置付けるのか。

（一）封印状というテクノロジー

フーコーのテーゼは一見、明快である。封印状は権力の専横を示すものであるというよりは、むしろ「行政的・政治的な制御《コントロール》」（VHI 247/223）であり、周囲のものたちが利用する「公的サービス」（VHI 246/220）であったということだ。家族の嘆願に応答するように調査が開始され、監禁の期間の決定などをおこなう「警察の仕事」が開始される。そのことによって政治的主権が、日常性の末端にまではいりこむ（VHI 247/222）。そして反対に、監禁を訴える家族や隣人もまた、封印状の要求というかたちで、この専制権力を身近なものとして利用できるようになる。こうして「あらゆる政治的連鎖が、日常という横糸と交錯する」。公と私が交錯するのである。

ただしすべての嘆願が受け入れられるわけではない。家族や隣人が権力を作動させるためには、「たとえ一瞬であれ、それをおのれのものとし、方向付け、とらえ、自分の望む方向へと屈曲させなければならない」とフーコーは言う。権力の「注意」を惹く必要があるのだ。そのためには、権力を「誘惑（séduire）」しなければならない。「権力は所有欲の対象であると同時に誘惑の対象なのである」（VHI 247/222）。

ここでフーコーが指摘する逆説的な事態は、王の権力が「恐るべき」「憎むべきもの」であるからこそ、ひとはそれを「欲望」したということである。封印状は「恐怖」と「欲望」の同時性の場である。この同時性ゆえにこそ、封印状はエネルギーにみちた粒子となる。

封印状がこのようなものとして機能していたのは、一世紀にも満たない期間であったとフーコーは指摘している。やがて「恐怖」の側面が前面化してしまうからだ。だがこの短い期間の両者の交差こそが、「行政的・政治的な制御」が受容され、拡大していくための歴史的条件である。フーコーは制御をイデオロギーとして批判するのではなく、その「起源」に封印状というテクノロジーを置く。それは無名の生の沈黙を「言説化（mise en discours）」（VHI 248/222）し、その振る舞いの多様さを多様なままに記述するテクノロジーである。

晩年のフーコーが、「統治性（gouvernementalité）」について、すなわち自己による自己や他者の「振る舞い」を操舵する（gouverner）テクノロジーの研究に向かった源はここにある。このテクノロジーを媒介に、日常的なものの沈黙は〈みずからみずからについて語る〉のである。

(二) 告解と秘密

権力は「言説化」する。日常生活の細部の「秘密」を、まさに秘密として語らせる。この封印状のメカニズムをフーコーが、キリスト教の「告解（confession）」と対比していることが注目される。告解とは、（一）日々の微細な罪や知覚しえない過失や思考の乱れを言語化する義務を課すものであり、（二）「語る者が同時に語られる者でもあるような」儀式であり、（三）語られた事柄が、まさに「その言表それ自体によって」消し去られるような言語行為であり、（四）残るのは「悔悟」と「悔悛」の痕跡のみである。それは「すべてを消し去るためにすべてを語る」言語行為である（VHI 245/218-219）[6]。

一七世紀に配備される行政的な制御もまた、ささいな逸脱や無秩序を言説化するものである。しかしながら、告解が悔悟と悔悛のみを残してみずからを消し去る言語行為であったのに対して、封印状は無数の告発、嘆願、訊問、報告、密告、調書などを増殖させた。それらは、代書人の様式からあふれ出すようにして、情念に満ちた無数の声として散逸した。いうなれば、日常的なものは、〈みずからを語ることをみずから要求しつつみずからを記載するような秘密の集合態〉として、世界にばらまかれていくことになるのだ。

原理的にトートロジカルであり、みずからを消し去る運動によってみずからを秘密化する言説がここにはある。これは一見、デリダが「痕跡」や「クリプト」と呼んだ、自己抹消しながら自己を記憶する運動に似ている。だがデリダが誇張的に神秘化してしまったこのメカニズムを取り上げ直しながらフーコーは、それを制度とテクノロジーの無数の網目へと通過させ、歴史の無意識の「モニュメント」(VIII 241/211)のごときものとして出来事化する。そして同時に、それが社会全体に拡散していく運動をも肯定する。デリダは「散種」について語りながら、その制度的媒体についてそれとして主題化することはできなかったのである。[7]

(三) 語りの倫理と文学

したがって「汚辱にまみれた人々の生」は、下賤で無名の人々の、声なき声を拾い上げることのみを目的とするものではない。というのも、それを可能にするはずの封印状は、そうした声をすぐさま行政的に制御する網の目に取り込んでしまうからだ。封印状と共に生まれたのは管理社会ではなく、感知しがたい些細なもの、すなわち「下賤で無名なもの（infâme）」を語るという「倫理」にほかならないとフーコーは言う（VHI 252/231）。

この倫理ゆえにこそ、一七世紀以降の西欧で「文学」と呼ばれるものが生まれる。とはいえ、封印状が文学的なものの萌芽であるということではない。感知しがたい些細なものを語るという倫理こそが、文学の可能性の条件であるということである。もちろんかつてフーコーがサドやバタイユやクロソフスキーにみたように、文学はたえずその倫理の限界を極限まで押し詰め、スキャンダラスなものとなることで、まさに「汚辱」の言説であろうとした。精神分析と文学との和合もそのような枠組で理解されるべきだとフーコーは言う（VHI 253/233）[8]。だが少なくとも「汚辱にまみれた人々の生」という論文においては、文学や精神分析はいずれも「権力の装置」の一部、つまり、言説を流通させ、真なるものを語らせる「戦略」の一端とされ、歴史的に相対化されている。

『監獄の誕生』の末尾においてフーコーが、パノプティコン的な権力諸関係、そこに置かれた身体、それにまつわる戦略をかたちづくる言説などにおいて「たたかいのとどろきを聞かなくてはならない」と記したことはよく知られている。しかしこのような挑発を真に受けることは、権力の罠にかかることでもある。この「ならない（il faut）」もまた、このような「倫理」を発動させる権力の呼びかけにほかならないからだ。おそらくこの文章全体を引用符に入れて読まなければならない。さもないとひとは、この挑発に応じることで現代を解釈できると信じこみ、おのれの信仰告白と嘆願を口にしてしまうだろう。

3 現実の試練とフーコーの罠

ではどうすればよいのか。ここで「汚辱にまみれた人々の生」において、曖昧かつ無規定に反復されている一つの用語に注目したい。それは「現実（le réel）」「現実性（la réalité）」という用語である。

フーコーによれば、アンソロジーの対象となるべき人物は「現実に存在した人物」（VHI 239/206）であり、回想録や物語の人物は排除される。収集されるべき文献は「現実」とできるだけ多くの関係をもち、現実に言及するだけではなく、そこで作用を及ぼし、役割を演じたものでなくてはならない。さらには「現実に貫かれ」「現実の断片を引き連れて」（VHI 239-240/207-208）いなければならない。

だがいったい何が、ある文献にそのような現実性を付与するのかという問いに対してフーコーは、それは「権力との遭遇」であると言う。権力が彼らの生を狙い、追跡し、彼らの訴えに「束の間であれ」注意を払ったことが、封印状にあるような言葉を引き起こし、それを「粒子」として凝縮し、モニュメント化した。この点についていくつかのコメントをしておきたい。

(一) 現実の現実的な現実化

この説明において読者がとまどうのは、「現実に存在した人物」などとフーコーが言うときには「現実」が素朴に前提されているのに対して、最終的に現実性は、権力との遭遇を前提とし、権力を通してのみ「言説化」されると述べられている点である。おそらくフーコーにとって、現実が先か権力が先かという問いは誤った問いなのだろう。現実の現実性は権力を前提とするが、権力は現実を言説化する限りにおいて機能する。言説をはさんで、両者は相互的に基礎付け合う。

だから彼にとって重要なのは、ある「無名の生」が、それがはらむ情動とともに歴史を通過し、現在の私たちに、「物語」なしに伝承されるプロセスを問うことである。言い換えるならば、歴史とは、現実が現実化するプロセスである。そしてこのプロセスにおいてこそ、封印状というテクノロジー、王権や治安警察といった「現実の」諸制度が介入する。現実は現実的に現実化する。それは現実の自己強化のプロセスである(9)。

現実であるがゆえに、そこには多くの「偶然性」や「物質性」が介入する。にもかかわらず、無名の生は私たちに到達する。どのようにしてなのか。無名の生は、物語（回想、想像力、英雄化）によって現実化＝再構成されるのでもなく、また神話のごとく、非歴史的なものとして、そこにあるのでもない。物語的な時間にも神話的な時間にも属さない出来事であり、「無」のごときものである。にもかかわらずそれは「起こらなかったということがありえないような何か」(10)（メルロ＝ポンティ）として、現実化する。フーコーはそれを「運命」にたとえている。「私たちの社会の根本的な特徴の一つは、運命が権力との関係という形式、権力との、そして権力に対する闘争という形式を取るということではないか」（VHI 241/210）。

もちろん運命といっても、ギリシア悲劇のような、超越的な掟との闘争はもはやない。無名の生の闘争は「社会」に内在する法としての権力諸関係との、生と死、真と偽を賭けた闘争であり、そのようなものとして「現実のドラマトゥルギーの一幕」（VHI 240/207）を形作る。現実に貫かれている言説とは、まさにこの闘争の場における「武器としての言語」であるとフーコーは言う。それは命題でも物語でもない。

たとえば封印状もそのような「武器としての言語」として、現実化しつつある生を、真と偽の試練に賭けるものである。封印状は、恐るべき権力によって、訴えられた者の生を危険に晒すからだ。言説とは、まさにそれが語る現実を危険に晒し、そこから秘密をもぎとりながら、それが消え去るにまかすようなものである。

(二)近さと遠さの境界に生起する現実

すでに述べたように、権力と無名の生の関係は、恐怖と欲望の同時性の場である。これを「近さと遠さの同時性」と呼ぶこともできるだろう。制限なき権力は恐るべきものとして「遠く」にある。しかし封印状という武器を使う者は、誰でもこの権力を手元に置くことができる。

フーコーが現実と呼ぶものは、まさにこの近さと遠さの同時性の場において、二重化し、現実化するものであろう。言い換えるならば、現実的なのは、権力そのものでも無名の生そのものでもなく、両者の境界《リミット》である。この主題をフーコーは、初期の文学論で探求していた。たとえば彼はバタイユを読解しながら、禁止と違反、すなわち境界付けとその越境が不可分であることを指摘していた。

違反(transgression)とは境界に関する行為である。この薄い線上において、移行という稲妻が現れる。〔……〕違反は線を越境し、そして越境し続けるが、この線は違反の行為の背後ですぐに閉じて、わずかな記憶の波となり、そうしてふたたび越境しえぬものの地平に退く。〔……〕境界と違反は、おたがいのおかげでその存在の濃密さをもつ。[11]

現実的なのは境界の作動だけである。境界を超える行為は無際限であり、まさにその無際限性ゆえに、境界に時間的・空間的な濃密さが与えられる。そこに禁止と違反、規則と逸脱、異常と正常といった対立項のシステムが介入する。より一般化するならば、この境界または接触面において、「同」と「他」、「真」と「偽」が同時に到来し、[12]たがいにこだまを響かせると言ってもよいだろう。

権力と無名の生の間において、「現実」という限界は、権力諸関係の「ゼロ度」とでも言うべき境界的な時空間をかたちづくる。ゼロ度でありながら、いやゼロ度の現実として肯定されるからこそ、[13]それはさまざまな無名の声のこだまへと炸裂する。フーコーの試みは、こうした炸裂をそれとして肯定することで、それに「存在の濃密さ」を与えることである。彼が封印状に聞き取ったのもそうした無名の声の集合体であった。「カラス」はこうした時空間をつかのま「横切る」ことにおいて、一つの現実を指し示す。現実とは、そうした束の間の炸裂と移行において効果を発揮するものなのだ。

(三)フーコーの罠

晩年のフーコーが「自己と自己の関係」を問題にしたことはよく知られている。それは、現実が現実化する場に、「自己」と呼ばれる者も組み込まれているからである。自己に対する自己の試練を経ることで、ひとは境界と越境のシステムに参入する。自己の試練とは、自己からの暴力を直に被り、それによって自己から逸脱し、みずから炸裂し、同時に現実の厚みを介して自己に回帰する運動のことである。[14]この試練においてこそ、無名の生もみずからを語る。こうしてフーコーは、ヘーゲル的な「否定的なものの労働」を介することなく、有限性の思考を更新し、さらには内側から炸裂させようとする。

フーコーにとって「哲学者」とは、この自己の試練を職業的に実践する者である。(15)「哲学者」とは、現実の試練を、おのれが置かれた場において、みずからを実験場とすることによって、常に実践する者のことである。「哲学者」であるならば「現実」を変容させられるかもしれない。だがメルロ＝ポンティがフッサールの「構成する意識」について述べたように、そうした哲学者はどこかにいるわけではない。哲学は、詐術と言ったら言い過ぎかもしれないが、一種の人為的な構成物であるからだ。(16)それに対して、この哲学者をあざ笑うように、ソフィスト(17)のごときスタイルで現実を横断し、その断片だけをとどめ、無名の生を演ずる者のことを、「批評家《クリティック》」と呼ぶことができよう。たとえば「たたかいのとどろきを聞かなくてはならない」と述べていたのは、批評家のフーコーである。フーコーという経験的な人物は、常には哲学者ではなかった。そうであったなら、自己試練にとどまり、あれだけの著作を残すことも、対談や講義録として散逸する言説によって現在の読者を遠隔操作し、罠にかけることもなかっただろう。哲学と批評の「境界」でのみ、彼の言説は思想の地図を書き換えることができるのである。

註

（1）Michel Foucault, *Surveiller et punir, Naissance de la prison*, Paris, Gallimard, coll. « Tel », 1975, pp. 228–229.（『監獄の誕生――監視と処罰』田村俶訳、新潮社、1977年、198頁）。以下SPと略し、原文頁と邦訳頁を記す。

（２）マックス・ヴェーバーの「理念型」概念に対するフーコーの批判としては、« Table ronde du 20 mai 1978 », *Dits et écrits 1955–1988*, no. 278, Paris, Gallimard, T. IV, pp. 26–30.（「一九七八年五月二十日の会合」栗原仁訳、『ミシェル・フーコー思考集成Ⅷ――政治・友愛』蓮實重彦・渡辺守章監修、小林康夫・石田英敬・松浦寿輝編、筑摩書房、２００１年、１７０～１７５頁）参照。

（３）« La vie des hommes infâmes » (1977), *Dits et écrits 1955–1988*, no. 198, Paris, Gallimard, T. III, pp. 237–253.（「汚辱にまみれた人々の生」丹生谷貴志訳、『フーコー・コレクション６――生政治・統治』小林康夫・石田英敬・松浦寿輝編、ちくま学芸文庫、２０１～２３７頁。以下VHIと略し、原文頁と邦訳頁を記す）。infâmeないしはinfamieという言葉でフーコーが指し示しているのは、それが「無名」であっていかなるスキャンダルやひそかな賛嘆とも無縁であること、それでいながら彼らの生は、彼らが被った「不名誉」や「下賤さ」としてのみ、「現実」に組みこまれているということである（VHI 243/215）。したがって「汚辱にまみれた」という訳はいささか強すぎるが、フーコーの「ドラマトゥルギー」に相応するものとして、名訳であるとも言えるので題名としては残しておく。ただし本稿では「無名の」「下賤な」という訳を主に使用する。

（４）*Le désordre des familles, Lettres de cachet des Archives de la Bastille*, présenté par A. Farge et M. Foucault, Paris, Gallimard/Julliard, coll. « Archives », 1982 , éd. revue 2014.

（５）田中寛一「ミシェル・フーコーによる封印状の歴史」、『天理大学年報』天理大学編、第57巻第2号、２００６年、59頁。

（６）言うまでもなくこのような言語行為のヴァリアントとして晩年のフーコーが追求したのが「パレーシア（率直にすべてを語ること）」という主題である。したがってこの主題の射程は深く、狭義の政治思想に押し込めることはできない。

（７）デリダが「痕跡」や「秘密」の問題を神秘化しがちなのは、彼が現象を「仮象と現実」「隠れと開示」といった対立を際限なく弄ぶことで思考してしまっているからであろう。フーコーは、こうした対立そのものを横断するような諸システムを射程に入れている。ただしこれらのシステムそのものは哲学的に無規定なことが多く、それゆえ社会学的モデルとして理解されやすい。

（８）このように文学をいわば歴史的に相対化し得たきっかけとして、フーコーが１９７３年に刊行していたピエール・リヴィエールの手記がある（*Moi, Pierre Rivière, ayant égorgé ma mère, ma sœur et mon frère – Un cas de parricide au XIXe siècle*, présenté par Michel Foucault, Paris, Gallimard, coll. « Archives », 1973.)（『ピエール・リヴィエール――殺人・狂気・エクリチュール』

慎改康之・柵瀬宏平・千條真知子・八幡恵一訳、河出文庫、２０１０年)。フーコーの解説では、殺人行為と並行して書かれた一人称の手記が「日常的なものと歴史的なものの変換器」として分析されている(Ibid., p. 269. 邦訳３６０頁)。

(9) この「現実の強化」「現実の二重化」の問題を、ピネルをはじめとする精神医学に応用した講義として『ミシェル・フーコー講義集成４　精神医学の権力——コレージュ・ド・フランス講義1973-1974年度』慎改康之訳、筑摩書房、２００６年がある。この書の分析として拙著『後期フーコー——権力から主体へ』青土社、２０１１年、第1章を参照いただければ幸いである。そこではジャネの「現実機能」概念との関係も論じた。

(10) メルロ＝ポンティにおける、想起されないが「無ではなく」「起こらなかったということがありえないような何か」の主題についても拙稿「野生の世界の風景と出来事の暴力」、『思想』２００８年11月号(第１０１５号)、岩波書店、8〜27頁を参照いただければ幸いである。

(11) « Préface à la transgression », *Dits et écrits 1955–1988*, no. 13, Paris, Gallimard, T. I, p. 237. (「侵犯への序説」西谷修訳、『フーコー・コレクション２——文学・侵犯』小林康夫・石田英敬・松浦寿輝編、ちくま学芸文庫、67〜68頁)。transgressionは一般に「侵犯」と訳されるが、あきらかに強すぎるので「違反」とする。前述の文学の歴史的相対化にもかかわらず、この初期のバタイユ論には、後のフーコーの思考の萌芽が明白にみられる。多かれ少なかれ現象学的な初期思想と後の思想の連続性と非連続性についてはさまざまな議論があるが、その関係は線状的ではなく、いわば入れ子状になっていることが確認される。この論文の後期への影響を重視したものとして、ブリュノ・カルサンティ「バタイユとフーコーにおける限界の観念について」酒井健訳、『ミシェル・フーコーの世紀』蓮實重彦・渡辺守章編、筑摩書房、１９９３年、２１１〜２２１頁。

(12) Cf. « La prose d'Actéon » (1964), *Dits et écrits 1955–1988*, no. 21, T. 1, p. 329. (「アクタイオーンの散文」豊崎光一訳、前掲『フーコー・コレクション２』、２２３頁)。

(13) この点についてフーコーは、カントの「負量概念の哲学への導入」を参照し、それが「正でない肯定(affirmation non positive)」「何も肯定しない肯定」を創設したという。それは「境界の試練」であり、そしてまた「差異の存在」の肯定である(Ibid., p. 238. 邦訳71頁)。

(14) フーコーの権力論は、主体の「客体化」を問題にしたとされることが多いが、少なくとも70年代後半には「主体」側の「現実」への働きかけも主題化されていることについては、« Table ronde du 20 mai 1978 », op. cit., p. 32. (邦訳１７９頁)参照。

「問題は、行為の主体である――それによって現実が変容させられる行為の主体である。刑務所や刑罰のメカニズムが変容させられるのは、ソーシャル・ワーカーの頭のなかに改革のプロジェクトが入れられたときではない。それは（中略）現実において批判が働いたときであり、改革者が自分の考えを実現したときではない」。

（15）フーコーにおいて「哲学の『現実』」の問題、すなわち哲学的言説が現実に参入する様態の問題が、どのように日常性の問題に結びつけられたかを論じた論考としてDaniel Lorenzini, *Éthique et politique de soi – Foucault, Hadot, Cavell et les technique de l'ordinaire*, Paris, Vrin, 2015. のとりわけ第4章が有益である。

（16）モーリス・メルロ＝ポンティ「哲学者とその影」、『精選　シーニュ』拙訳、ちくま学芸文庫、２０２０年、２７８頁。

（17）フーコーによるソフィストの（主にアリストテレスに対する）位置づけについては、『ミシェル・フーコー講義集成１〈知への意志〉講義――コレージュ・ド・フランス講義1970-1971年度』慎改康之・藤山真訳、筑摩書房、２０１４年、43頁以下、および拙論「ミシェル・フーコーにおける真理の言説と「現れ」の系譜学」、『論叢　現代語・現代文化』筑波大学人文社会科学研究科現代語・現代文化専攻編、第９号、77〜１１４頁参照。

第8章 平等主義と暴力の基層

小山 裕
KOYAMA Yutaka

1— 近代社会における暴力

社会学には、近代社会における暴力のあり方に関する二つの古典的な命題がある。一つは、近代社会では、国家が「正当な物理的暴力行使の独占を要求する」(Weber [1919]=2018 : 93) というマックス・ヴェーバーの命題である。この命題は、今日の標準的な社会学でも、おおむね妥当なものと考えられ、受け入れられている(佐藤 2014)。もう一つは、近代社会では、身体刑などの暴力的な刑罰が衰退し、自由だけを剝奪する刑罰(自由刑)が一般化するというデュルケムの命題である(Durkheim [1899-1900]=1990)。これも、いわゆる先進国の刑法典をみれば——ごく一部の国で存置されている死刑を例外とすれば——自明であるようにみえる。しかしながら、これらの命題が大陸ヨーロッパ型の近代を念頭に提示されたものであるという点は、注意を要する。西欧型の近代こそが唯一の近代であるという認識は、現代では相対化されている。現代社会における暴力の問題を考えるためには、これらの命題の限界を改めて見定めておく必要がある。

(一) 暴力を独占する国家?

近代社会において国家が要求する「正当な物理的暴力行使の独占」とはいかなる事態を指し示しているのだろうか。実のところ、「物理的な暴力行使(Gewaltsamkeit)」やその「独占」という言葉でヴェーバーが具体的に何を指示しているのかは、「正当な(legitim)」という概念に比べると、必ずしも明瞭ではなく、その後の研究において頻繁に引用されながらも「抽象的な概念」にとどまってきた(Knöbl 1998 : 26)。そこでまずはヴェーバーのテクストに即してその意味内容の中心を特定してみよう。

ヴェーバーは『職業としての政治』の冒頭で次のように論じている。物理的な暴力行使は、近代国家を含むあらゆる政治的団体に特有の手段である。かつてはそれを標準的な手段として用いる政治的団体も存在したが、近代国家にとっては、標準的な手段でもなければ、唯一の手段でもない。その代わりに近代国家が要求するのが正当な物理的暴力行使の独占である(Weber [1919]=2018 : 93)。これに続いて、ヴェーバーは「それゆえ私たちにとって政治が意味するのは、権力の分有(Machtanteil)や権力配分(Machtverteilung)に対する影響力に向けた努力である」と述べ、自身の国家の社会学的定義の妥当性を主張するのだが(Weber [1919]=2018 : 93)、明らかなように、暴力行使の問題が権力の問題にすり替わっている。さらに支配の正当性が論じられるが、この概念は、被支配者が支配者の権威に従う根拠に関わるものであり、暴力行使やその独占とは直接的な関係がない。

次に暴力の問題が論じられるのは、独占の意味に関わる文脈においてである。ヴェーバーによれば、暴力を伴った支配の維持には、いざという場合に暴力を行使し、貫徹するために用いることのできる武器や資金などの物的な手段ならびにそれを担う人々が不可欠である。君主のもと貴族層が行政の実質的な担い手である身分制的秩序においては、そうした手段は、それぞれの貴族が所有する。貴族は、戦争のための武器を自弁しなければならず、また自身の封土の秩序維持のための行政や司法に必要な資金を自ら調達しなければならない（Weber [1919]=2018：101-4）。つまり身分制的秩序では物理的暴力行使およびそれを可能にする手段が独占されていない。これに対して、近代国家における行政手段は、行政の実質的な担い手である官僚の私有物ではない。資本主義的経営において労働者が生産手段から切り離されているのと同様に、近代国家においては行政スタッフが行政手段から完全に切り離されているのであり、この点に近代国家の特徴がある（Weber [1919]=2018：105）。要するに、近代国家による正当な物理的暴力行使の独占とは、特定の領域内における単なる暴力手段の独占ではなく、戦争や刑罰や警備などの行政手段の遂行に必要となるさまざまな資源――それらは身分制秩序においては社会内に分散していた――の国家による収奪である。それゆえ、近代社会とは、国家による許可なしに正当な物理的暴力行使を含むさまざまな手段を行使しうる主体が消滅した社会であるということになる。

近代国家による正当な物理的暴力行使の独占が達成されたとして、社会の成員の行動やコミュニケーション様式は、それにともない、どのように変化するのだろうか。ノルベルト・エリアスの『文明化の過程』は、ヴェーバーに代わって、この問いに取り組んだものと位置づけることができる（Elias [1939]=1977－1978）。彼によれば、中世を通じて、貨幣経済の成長にともなう物価の上昇に耐えられなくなった貴族は、自らの生活のために、経済的な余力をもつ王や諸侯に仕えざるをえなくなった。こうして形成された宮廷社会は、誰かに突発的に襲われるなどの物理的暴力から解放された空間である。そこでは人々の機能的な相互依存が高まるため、感情の自己抑制が強いられる。物理的暴力の発動を連想させるような感情的な振る舞いは、非暴力的なコミュニケーションを不安定化させるからである。非暴力的な方法で互いの優劣関係を確認し合うものとしての礼儀作法の発達は、宮廷における期待の安定化を補完する。近代市民社会とは、こうして組み上げられた宮廷社会の行動規範が、そこと次第に密接な関係を取り結んでいく市民層を通じて、社会全体に広がった社会であり、相互行為における礼節（civilité）が根本的な規範の一つとなった社会であり、その意味で文明化（civilisation）した社会である。こうしたエリアスの理論を踏まえるならば、近代社会は、日常的なコミュニケーションの次元においても潜在的な物理的暴力の水準が低い社会であるということになる。

エリアスの議論は、それが身分制社会から生まれた近代社会を前提にしたものである点に注意する必要がある。たとえばアメリカ合衆国では社会内での暴力の水準が西欧諸国に比べると著しく高いことが知られている（Knöbl 2006）。ヴェーバーは、国家による正当な物理的暴力行使の独占に関して、「国家以外のすべての団体や個人に物理的な暴力行使の権利が付与されるのは、国家が国家の側からそれを認めるかぎりにおいて」であると論じているが（Weber [1919]=2018 : 93）、これは国民主権にもとづく国家における暴力の水準が国家＝国民の意思次第であることを含意する。事実、アメリカ合衆国市民を制定の主語にもつ合衆国憲法は、「よく規律された民兵は、自由な国家の安全にとって必要であるから、人民が武器を保有し携帯する権利は、これを侵してはならない」（修正第2条）という条文をもち、同国での暴力行使の水準の潜在的な高さを許容するものとなっている。そうであるならば、民主主義国家における暴力の問題に関して問われるべきことの一つは、人々が社会における暴力の存在にどれくらい寛容であるかということになる。

（二）暴力を嫌悪する社会？

デュルケムは、近代社会において暴力的な刑罰が衰退し、自由刑が一般化するメカニズムを刑罰進化の二つの法則として説明している。刑罰進化の二つの法則とは、「刑罰の強度は、その社会が未発達な社会に属していればいるほど、そして中央の権力が絶対的であればあるほど大きくなっていく」という「量的変異の法則」（Durkheim [1899-1900]=1990:46）と、「犯罪の重大さによって、刑期はさまざまとなるが、自由を剥奪する刑、あるいは自由だけを剥奪する刑が、次第に抑止の通常の型になる傾向がみられる」という「質的変異の法則」（Durkheim [1899-1900]=1990:58）からなる。デュルケムによれば、これら二つの法則は、前者が後者を部分的に説明するという関係にある（Durkheim [1899-1900]=1990:65）。つまり自由刑の一般化は、社会が発達し、社会で行使される刑罰の量――すなわち刑罰の暴力性の程度――が低下した結果であるとデュルケムは考えている。それゆえ注目すべきは、刑罰の暴力性の低下をもたらす要因である。

デュルケムが刑罰の量的変異を説明するために導入するのが宗教的犯罪と人間的犯罪という区別である。前者は、集合的事物を侵害する行為（公的権威やその象徴に対する侮辱や宗教上の事物や儀礼の破壊など）を、後者は個人だけを侵害する行為（殺人や暴行や窃盗・詐欺など）を指示する（Durkheim [1899-1900]=1990:67）。デュルケムによれば、社会の発展にともない、この意味での宗教的犯罪が衰退し、また、人間的犯罪が成長していくことで、刑罰から暴力性が取り除かれていく。つまり宗教的犯罪に対する刑罰は、暴力的になる傾向があり、人間的犯罪に対する刑罰は、非暴力的なものになる傾向がある。

このメカニズムをより精密に理解するためには、デュルケムによる犯罪と刑罰の社会学理論を踏まえる必要がある。デュルケムによれば、刑罰とは犯罪の関数であり、犯罪は社会の関数である。つまり何が「犯罪」であるとみなされるかは、その社会において人々が共有している信念と感情の総体である集合意識の中身に依存し、刑罰とはそうした集合意識を傷つける行為――すなわちその社会における「犯罪」――に対する社会の反作用である（Durkheim 1893=2017 : 145 ff.）。人々が「超人間的な（surhumain）」で神聖と考える集合的事物に対する侵害は、激しい憎悪と怒りと恐怖を呼び起こし、それゆえ宗教的犯罪に対する刑罰は、侵害者に対する人々の怒りと憎悪ゆえに、また、その行為に対して人々が感じる恐怖を鎮めるために、暴力的性格を帯びる（Durkheim [1899-1900]=1990 : 68 ff.）。刑罰進化の第一法則で刑罰を暴力的なものにする要因として挙げられている中央権力の絶対性もこの点に関わる。権力が絶対的になるということは、権力者を神聖で超人間的な存在であると人々がみなすようになるということだからである（Durkheim [1899-1900]=1990 : 76）。

これに対して人間的犯罪と刑罰の暴力性の関係についてのデュルケムの説明はより込み入っている（Durkheim [1899-1900]=1990 : 70 ff.）。人間的犯罪は、個人だけに関わるからといって、人々の集合意識と無関係ではない。人間的犯罪も「犯罪」である以上、デュルケムの理論に従えば、何らかの集合意識の侵害である。そうであるとすれば、人間的犯罪は何を侵害するのか。それは人間性である。人間的犯罪は、ある個人が他の個人を侵害するというだけでなく、個人の侵害を通じて、人間性そのものに対する共感や人間の尊厳といった集合的な価値を侵害するというのである。人間的犯罪に対する刑罰が非暴力的なものになるのは、刑罰もまた加害者という一人の人間に対する侵害だからである。たとえ自分と何ら直接的な関わりのない他者であっても、その人が身体刑によって苦しむ姿や劣悪な独房で孤独に打ちひしがれる姿に心の痛みを感じ、強い嫌悪感を抱くとすれば、それは人間そのものを不可侵で神聖なものとする信念や感情が存在するからである。こうした意識が多くの人に共有される社会では、刑罰は必然的に温和なものになるだろう。このとき人々の集合意識を彩る神聖さは、「超人間的」なものではなく、私と他者は同じ人間であり、人間性という高貴な価値を担う存在であるという観念に由来する「人間的な」神聖さである。それは神と人間という上下関係ではなく、個々人の尊厳の平等にもとづく。デュルケムにとっての近代社会とは、人間性が集合意識の中心を占めるようになった社会である。そこでは暴力が神聖なる人間性の侵害として嫌悪される。

こうしたデュルケムの理論は、今日の西欧諸国における刑罰やその執行の状況をよく説明する。刑罰に関して言えば、ＥＵでは死刑の廃止が加盟の条件となっている。加えてＥＵは、死刑制度をもつ非加盟国に対してもその廃止を積極的に呼びかけている。また行刑についても、たとえば１９７６年に制定されたドイツ連邦共和国の行刑法の第３条（1）では、「行刑における生活は、一般的な生活関係に可能な限り同化させられるべきである」という「同化原則（Angleichungsgrundsatz）」が掲げられている。この原則は、受刑者が自らの権利を要求するために使用するものではないが、それを手がかりに現行制度の改善が行われる回路が開かれたと評価されている（大谷 2018）。たとえば受刑者は、尊厳を傷つけるような囚人服の着用から解放されており、プライバシーが保護されている。また一般の労働者と同様に、有給休暇を申請する権利をもつだけでなく、失業保険に加入し、賃金も引き上げられてきた（Whitman 2003: 8, 88 ff.=2007: 8, 126 ff.）。つまり受刑者は、同じ人間として、言わばより「人間的な」処遇を受けるようになっている。

こうしたドイツの光景は、アメリカ合衆国や日本の刑務所とは大きく異なる。アメリカの刑務所ではさまざまな暴力が見られ（Whitman 2003：61=2007：85-6）、日本の刑務所におけるプライバシーの保護は、まったく不十分なものにとどまっている（河合 2019）。世界価値観調査における死刑に対する態度を見ても、死刑を「まったく間違っている」と考える人の割合は、ドイツ（２０１７年）で62・８パーセント（N=1,528）であるのに対し、アメリカ合衆国（２０１７年）では13・７パーセント（N=2,596）、日本（２０１９年）では５・２パーセント（N=1,353）である。アメリカも日本も他者に向けられた暴力に寛容な社会であり、デュルケムの理論では、こうした社会を説明することができないのである。

２― 身分・平等・暴力

近代国家による暴力の独占と近代社会における暴力の嫌悪という二つの命題には、大陸ヨーロッパ型の近代社会における暴力しか説明しえないという限界がある。これらを相対化する手がかりとして、ジェームズ・ウィットマンの比較法研究を参照することにしたい（Whitman 2000；2003=2007：2004）。

身分制社会では、同じ犯罪であっても身分によって異なる刑罰が与えられたり、刑罰の執行方法が異なったりしたことは、ほとんど普遍的な現象であった。たとえば大革命以前のヨーロッパでは同じ死刑であっても高身分者には斬首が、低身分者には公衆の面前で身体刑が課された上で絞首が行われるのが一般的であった（Whitman 2003：130=2007：146）。また死刑に至らない場合でも、低身分者には公衆の面前での身体刑や強制労働が科されたのに対し、高身分者は、要塞の中の比較的快適な部屋に収容され、公衆に晒されることはなく、その身分にふさわしい待遇を受けた。そこでは、執筆活動はもちろん衣服や家族・友人との面会も自由であった（Whitman 2003 : 105–107=2007 : 148–152）。

一般に近代社会では、法の下の平等という理念のもと、刑罰の身分差が失われる。しかし、国民に対して統一的な刑罰が行われるようになるとしても、誰に対して行われていた刑罰が一般化されるかは、社会によって異なる。一方には、高身分者に対する刑罰が一般化する社会があり、他方には、低身分者に対する刑罰が一般化する社会がある。ウィットマンによれば、フランスとドイツでは、革命期フランスにおけるギロチンの採用に典型的にみられるように、19世紀には高身分者のための死刑の執行方法であった斬首刑が一般化され、身体刑などの低身分刑罰が消滅していった（Whitman 2003 : 109 ff.=2007 : 154 ff.）。20世紀の後半になると、死刑制度も廃止され（ドイツ連邦共和国では１９４９年、フランスでは１９８１年）、刑務所もかつての高身分者が享受しえていた性格のものへと改善されている（Whitman 2003 : 141 f.=2007 : 186, 202 ff.）。この背後にあるのは、受刑者であっても、同じ人間である以上、生まれながらにして等しく高貴な存在として処遇されるべきであるという規範である。

これに対して、アメリカ合衆国で一般化したのは、低身分者に対する刑罰であった。たしかにアメリカでも植民地時代から独立当初にかけて高身分刑罰の一般化を求める運動が存在した。しかし、19世紀初頭以降、低身分者に対する刑罰の典型である鞭打ちや焼印などの身体刑と強制労働が普及した（Whitman 2003 : 173 ff.=2007 : 250 ff.）。この傾向は、１８６５年に可決された合衆国憲法第13条第１項にも見て取ることができる。「奴隷制度及びその意に反する苦役は、合衆国またはその管轄に属するいかなる場所においても存在してはならない。ただし、適正な手続きにより有罪の宣告を受けた犯罪に対する刑罰として科される苦役については、この限りではない」と定めるこの条文は、奴隷制の廃止を宣言する一方で、受刑者を奴隷と同等の身分へと貶める余地を残している。アメリカにおける受刑者は、同じ人間として尊厳をもった存在とみなされる大陸ヨーロッパとは異なり、格下の存在とみなされうるのである。この傾向は、現在でもみられ、たとえば1984年のハドソン対パーマー事件に対する連邦最高裁判所の判決においても、受刑者のプライバシー権が刑務所内の治安維持を理由に否定された（Whitman 2003 : 176-7=2007 : 255-6）。

ウィットマンによれば、近代社会において達成された刑罰の平等には、高身分者に対する刑罰の一般化と低身分者に対する刑罰の一般化という二つの道が存在した。彼は、この違いが生じた原因を身分制克服の方法の違いに求めた。一方では、すべての人を高い身分へと引き上げることで身分制の克服を目指す社会があり、他方では、身分制それ自体からの解放によって身分制の克服を目指す社会がある。前者は「我々は今や全員が貴族になったと宣言する平等主義」であり、ウィットマンは、それを格上げ平等主義と呼ぶ。大陸ヨーロッパで高身分刑罰が一般化する傾向が生まれたのは、すべての人が今やかつての貴族のように丁重に取り扱われるべきであるという身分意識の革命の帰結である。

これに対して、身分制からの自由にもとづく平等は、「もはや貴族はどこにもいないと宣言する平等主義」であり、格下げ平等主義と呼ばれる。イギリスや大陸ヨーロッパから持ち込まれていた伝統的な階級制度を独立革命後に解体したアメリカ合衆国（Wood 2002=2016）は、その典型である。合衆国も州も貴族の称号を付与してはならないと定める合衆国憲法第1条は、この傾向の表現である。身分制からの自由は、生まれながらにして高貴な存在に対しては特別な処遇が必要であるという意識が育まれる余地を極小化した（Whitman 2000 ; 2003 : 177 ff.=2007 : 256 ff.）。ゴードン・ウッドは、18世紀末のアメリカ市民がもつ平等志向に関して、「多くのアメリカ人にとって、自由な国に住むことは、だれかに挨拶するために帽子をもち上げる必要などないことを意味していた」と叙述しているが（Wood 2002=2016 : 147）、これはアメリカにおける平等な自由という観念を的確に表現するものである。

ウィットマンの格上げ平等主義と格下げ平等主義という区別は、「高身分への自由か身分制それ自体からの自由か」という自由のあり方の違いと対応している。それはまた「名誉と尊厳の平等か機会の平等か」という平等の理解の違いに反映されている。格上げ平等主義は、他者の尊厳を尊重するがゆえに、社会のなかの暴力に否定的であり、また犯罪者であっても、人間の尊厳は、守られるべきであるという意識が強くなる。これに対して格下げ平等主義は、個々人の自立と自由を重視するがゆえに、社会のなかの暴力に寛容になる傾向がある。ここで言う暴力は、物理的暴力に限られない。たとえば今日のヘイト・スピーチに対する法的対応を見ても、大陸ヨーロッパがその規制に積極的であるのに対し、アメリカ合衆国では表現の自由がより重視されている（Whitman 2004）。

3 日本の経験――暫定的なスケッチ

ウィットマンの概念枠組を前提としたときに、一つの謎として浮上するのが日本の経験である。日本は、大陸ヨーロッパと同様に、またアメリカ合衆国とは異なり、強固な身分制の伝統をもち、そこではさまざまな儀礼が発達していった。江戸時代における切腹の制度化・儀礼化は、その典型である（Ikegami

1997=2000: 248 ff.)。今日の日本でも礼儀作法は、社会関係において重要な役割を果たすと考えられており、事実、世界で最も治安が良い社会の一つである。その一方で、先にみた通り、アメリカ合衆国以上に、死刑に対して寛容であり、受刑者の尊厳に対する関心が低い。また被疑者や被害者といった当事者だけでなく、彼ら・彼女らの家族に対するプライバシー保護も十分とは言えない。こうした状況は、どのように説明することができるだろうか。以下、簡単な素描を試みる。

ウィットマンに倣って明治維新後の刑罰の変容を確認することから始めよう。日本で刑罰の身分差が形式上なくなったのは、１８８０(明治13)年に制定された旧刑法以降のことである。それ以前の日本で高身分者にだけ認められていた死刑の執行方法は自殺であった(平松 1988: 88-89; 伊藤 2008: 264)。明治新政府によって「初めて頒布された刑法典」であり、日本における「最後の東洋流の刑法典」である１８７０(明治３)年の新律綱領でも(布施 1983: 578)、士族に対しては切腹(「自裁」)が認められていた。それが改められたのは、１８７３(明治６)年から施行された改定律例であり、自裁に代わり終身禁固が定められた(布施 1983: 617)。士族は、名誉のために自害する特権を刑法上奪われたのである。

死刑の執行方法も、王政復古を受けて急ぎ作られた仮刑律では、磔、梟首《きょうしゅ》、刎首《ふんしゅ》(それぞれ磔罪、梟示、斬罪と名称が変更)に加えて、古代律令以来、中世には消滅していた「絞」(絞首刑)が復活し、新律綱領において絞、斬、梟示に整理された後、旧刑法では絞に一本化され、現在に至っている(布施 1983: 578; 伊藤 2008: 295)。絞は、斬よりも軽い処刑方法であるとされ(布施 1983: 133)、また梟示のように名誉剥奪的でもないが、しかし、自裁のような高身分者の特権とみなされていたわけでもない。

明治新政府によって実施された特権の剥奪は、死刑の執行方法だけではない。１８７１(明治４)年の散髪脱刀の許可の布告、庶民への敬礼強要や無礼討ちの禁止、婚姻の自由化、農工商就業の許可（三谷 2017：344 ff.）、１８７６（明治９）年の廃刀令と秩禄処分などさまざまな事例を挙げることができる。１８７０（明治３）年の平民苗字許容令は、身分的特権の標識の一つであった公称の苗字を一般化するものであるようにみえるが、もともとは旧幕府によって許可が与えられていた苗字を否定することで、新政府へと権威を集中させるという発想が出発点だったのであり、また１８７５（明治８）年には「平民苗字必称義務令」が公布されたことからも明らかなように、そもそも「苗字をもつことは名誉である」という意識が人々の間で広く共有されていたわけでもなかった（井戸田 1985）。

このような明治新政府による一連の政策は、国家による正当な物理的暴力行使の独占を企図するものであり、その基調となっていたのは、士族の特権を剝奪するという格下げ平等主義であった。そこには高身分者だけが享受していた特権を一般化する方向へと制度を次第に改革していくという大陸ヨーロッパにみられた動機は存在しなかった。だからといって、身分制からの自由を得た平等な個々人がより多くの自由を謳歌する方向に展開していくようなアメリカ型の格下げ平等主義ともそれは異なっていた。

近代日本の平等主義を特徴づけるのは、既得権益層である一部の高身分者から特権を次々と剝奪することによって、平等を創出しようとする動きであった。大陸ヨーロッパの平等主義が貴族と「平等になる」という平等主義であり、アメリカ合衆国のそれが「平等である」ことを出発点とする平等主義であるとすれば、日本の平等主義は、「平等にする」平等主義、あるいは、「平等であり続ける」平等主義であると言えるだろう。それは、ほとんど一方的に与えられたものであるという意味で、「恩」として施される平等であり、それゆえ、その平等を維持することが「報恩」、すなわち、道徳的義務となる。

こうした受動性と義務感は、血の原理（「万世一系」）による最高位の身分の正統化とともに、人々の高身分との同一化を妨げ、自由に限界を設ける。「立身出世」と「アメリカン・ドリーム」の違いは、おそらくここにある。また受動性は、基本的には暴力を抑制するはずであるが、権威が公示する〝和〟を乱す者に対しては、義務感ゆえに、その限りではなく、想像上の多数派（「みんな」）という現代的な錦の御旗の影から有形無形の暴力がしばしば行使される。それをよく知る人たちは、自主規制と忖度と沈黙のなかに隠れるばかりである。

現代日本まで続く被疑者や受刑者に対するある種の冷淡さは、与えられた「平等の共同体」を侵害した者に対するそれにほかならない。日本で信じられている平等なるものの根底には、「平等であり続ける」ことを至上命題とする特殊な格下げ平等主義が今なお存在し続けている。

参考文献

Durkheim, E., 1893, *De la division du travail social*, Félix Alcan.（エミール・デュルケーム『社会分業論』田原音和訳、ちくま学芸文庫、２０１７年）

Durkheim, E., [1899–1900], Deux lois de l'évolution pénale, in *Année sociologique*, 4: 65–95.（E・デュルケム「刑罰進化の二法則」、『デュルケム法社会学論集』内藤莞爾編訳、恒星社厚生閣、１９９０年、45～81頁）

Elias, N., [1939]1969, *Über den Prozeß der Zivilisation*. Suhrkamp.（ノルベルト・エリアス『文明化の過程（上）――ヨーロッパ上流階層の風俗の変遷』赤井慧爾・中村元保・吉田正勝訳、法政大学出版局、１９７７年／『文明化の過程（下）――社会の変遷・文明化の理論のための見取図』波田節夫・溝辺敬一・羽田洋・藤平浩之訳、法政大学出版局、１９７８年）

布施弥平治（1983）『修訂 日本死刑史』巌南堂書店

平松義郎（1988）『江戸の罪と罰』平凡社

Ikegami, E., 1997, *The Taming of the Samurai*, Harvard University Press.（池上英子『名誉と順応――サムライ精神の歴史社会学』森本醇訳、ＮＴＴ出版、２０００年）

井戸田博史（1985）「平民苗字必称令――国民皆姓」、『法政論叢』第21号、39～48頁

伊藤孝夫（2008）「死刑の社会史」、『東アジアの死刑』冨谷至編、京都大学学術出版会、２５７～２９７頁

河合幹雄（2019）『もしも刑務所に入ったら』ワニブックス

Knöbl, W., 1998, *Polizei und Herrschaft im Modernisierungsprozeß*, Campus.

Knöbl, W., 2006, Jenseits des Zivilisationsprozesses?, in: Frank Kelleter und Wolfgang Knöbl (Hg.), *Amerika und Deutschland*. Wallstein, 171–193.

三谷博（2017）『維新史再考』ＮＨＫ出版

大谷彬矩（2018）「ドイツ行刑における社会との同化原則の意義」、『法政研究』第84巻第４号、９０７～９７４頁

佐藤成基（2014）『国家の社会学』青弓社

Weber, M., [1919], Politik als Beruf, Duncker und Humblot.（マックス・ウェーバー「仕事としての政治」、『仕事としての学問　仕事としての政治』野口雅弘訳、談社学術文庫、２０１８年、90～２１８頁）

Whitman, J. Q., 2000, "Enforcing Civility and Respect: Three Societies," *Yale Law Journal*, 109: 1279–398.

Whitman, J. Q., 2003, *Harsh Justice: Criminal Punishment and the Widening Divide Between America and Europe*, Oxford University Press.（ジェイムズ・Ｑ・ウィットマン『過酷な司法――比較史で読み解くアメリカの厳罰化』伊藤茂訳、雄松堂出版、２００７年）

Whitman, J. Q., 2004, "The Two Western Cultures of Privacy: Dignity Versus Liberty," *Yale Law Journal*, 113: 1151–221.

Wood, G. S., 2002, *The American Revolution*, Modern Library.（ゴードン・Ｓ・ウッド『アメリカ独立革命』中野勝郎訳、岩波書店、２０１６年）

第9章

宗教的信仰の一形態である陰謀論を来るべき教育に向けて無毒化する

野村智清
NOMURA Tomokiyo

1―はじめに

この原稿を執筆している2020年において、最も大きな影響力をもつ宗教的信仰は間違いなくQアノン（QAnon）だろう。本年に実施された米国大統領選挙以前からQアノンと呼ばれる陰謀論者たちは米国大統領選挙を動かしているとさえ考えられた(1)。

このような現状を踏まえ、本稿では、ファンダメンタリズム、解放の神学、あるいは新霊性運動のように宗教以外の世界にも強い影響力をもつ「宗教的信仰の一形態としての陰謀論」を主題として設定する。そして宗教的信仰の一形態としての陰謀論に対する処方箋を示し、来るべき教育への地ならしをすることを目的とする。

この目的を達成するために、本稿では以下の手順を採る。まず2節では、Qアノンに代表される宗教的信仰の一形態としての陰謀論を考察する準備作業として、陰謀論が台頭する「ポスト真実」という状況を瞥見する。つぎに3節では、近代陰謀論の内実と米国における受容史を適宜参照しながらQアノンを位置付ける。続けて4節では、宗教的信仰の一形態としての陰謀論を含む広義の陰謀論に定義を与える。そして5節では、インターネットが個々人の陰謀論の形成に与える影響を確認する。最後に6節では、以上の考察を踏まえて、宗教的信仰の一形態としての陰謀論への対処法として求められる教育を提示していく。

2 ポスト真実という状況

英オックスフォード辞書は毎年恒例となった「今年の言葉（Word of this Year）」として、２０１６年に「ポスト真実（post-truth）」という言葉を選出した。そしてポスト真実を象徴する出来事として、２０１６年に実施された米国大統領選挙と英国のＥＵ離脱国民投票を挙げた(2)。

この「ポスト真実」という言葉は、２０１６年に特有の状況を指示しているわけではない。この言葉から派生した「ポスト真実の政治（post-truth politics）」や「ポスト真実の政治指導者（post-truth leaders）」といった言葉は、少なくともこの原稿を執筆している２０２０年においても現状を分析する言葉として用いられている。このことは２０２０年時点で未だに世界はポスト真実という状況にあることを裏書きしている。

英オックスフォード辞書によれば、「ポスト真実」は「世論の形成において、客観的事実が、感情や個人的な信念に訴えかけるよりも、より影響力をもたなくなった状況」を指示する形容詞として定義される。この定義では客観的事実に基づく判断と、感情や個人的な信念に基づく判断が対比されている。

この対比が成り立つためには、ポスト真実という状況下で人は、客観的事実と扇情的言説が共に与えられていなくてはならない。というのも両者が与えられていなければ、世論形成における両者の影響力を比較することはできないからである。

ポスト真実という状況では、客観的事実が不足していると捉えられることが多い。そのことは、ポスト真実という状況への対処として、たとえば耳塚佳代（2020）や坂本旬（2017）のように、ファクトチェックということが声高に叫ばれるようになったことが示唆している。ファクトチェックを通して、情報の受信者は客観的事実を入手するべきだという指摘は、客観的事実の不足を前提としている。もちろんフェイクニュースが氾濫するなかで、マスコミや知識人に代表されるような権威ある情報源の権威は失墜している。そのなかで何が客観的事実であるかを見極めるリテラシーは重要である。だが前段落で述べたように本来のポスト真実の定義に立ち戻れば、このような指摘はやや的を外している。これも前述の通り、そもそもポスト真実という状況が現出するためには、客観的事実がすでに与えられていなくてはならないからである。

ポスト真実という状況には、これまでほとんど注目されてこなかった特徴付けがある。それを確認するために、再び英オックスフォード辞書による言及に戻ろう。「ポスト真実」という言葉の定義の理解に資するために、英オックスフォード辞書は「ポスト真実」という言葉の典型的な使用例として、ツイッター上の一つのつぶやきを引用する。それは英国の『エコノミスト』誌によるつぎのような投稿である。

バラク・オバマはイスラム国ＩＳＩＳを財政援助し、ジョージ・ブッシュは９・11同時多発テロの背後にいた。ポスト真実の政治にようこそ。

英オックスフォード辞書自体は明言していないとはいえ、この投稿で提示されているのは単なる虚偽としてのフェイクニュースではなく、陰謀論である。またこの投稿では、おそらくは米国大統領選挙という状況を念頭に置きながら、共和党と民主党の双方についての陰謀論が並置されている。このことは、この投稿が陰謀論であることを強調しているとも捉えることができる。この投稿が「ポスト真実」という言葉の典型的な引用例であるとするなら、ポスト真実という状況は、陰謀論の台頭として特徴付けられる。陰謀論の台頭によってポスト真実という状況を特徴付けることの妥当性は、２０１６年以降の歴史の進展によっても裏付けられる。ＣＯＶＩＤ-19の猖獗という未曽有の事態のなかで２０２０年に実施された米国大統領選挙で最も注目された勢力は、「Ｑアノン」と呼ばれる陰謀論者たちであった。(3)

２０１７年10月５日に米国のトランプ大統領は軍高官と同席した夕食で「これは嵐の前の静けさかも知れない（Maybe it's the calm before the storm）」と謎めいた発言をする。記者たちに「何の嵐ですか大統領」と問われたトランプ大統領は「そのうちに分かる」と返した。(4)

２０１７年10月28日に米国の掲示板 4cahn に、「Ｑ」という人物が「嵐の前の静けさ」と名づけられたスレッドでヒラリー・クリントンは逮捕されると読み解くことができる暗号化された謎めいた投稿を行う。それ以降、Ｑは掲示板の 4chan や 8chan に４０００以上を超える書き込みを行ったとされている。最初の投稿と同様にすべての投稿は暗号化されており、「パンくず（crumbs）」と呼ばれるその暗号を解読する者たちは「パン屋(baker)」と呼ばれている。数十万人以上いるとされるQを支持する人びとは、QとAnonymousを合わせた造語で「Qアノン」と呼ばれた。そのようにして発信された情報の中核は以下のようにまとめることができる。(5)

米国はディープ・ステイトと呼ばれる悪魔崇拝者で幼児性愛者である民主党議員、メディア関係者、財界関係者、ハリウッドセレブ等からなる秘密結社によって牛耳られている。そしてこの組織は世界的な児童買春組織を運営している。トランプ大統領は、一人でこの組織に敢然と戦いを挑んでおり、「嵐」と呼ばれる彼らが一斉に逮捕される日も近いとされる。(6)

ある調査では2017年10月27日から2020年6月17日の間に、Qアノンについて、ツイッターで694億7545万件の投稿がみられ、フェイスブックには48万7310件の記事の掲載があったとされる。(7)また大統領選において、トランプ大統領支持者の半数はQに由来する陰謀論を信じているとされている。(8)

すでに確認したように、2020年時点で私たちは未だポスト真実という状況にある。そして米国大統領選では、陰謀論が台頭をしている。

これらを合わせれば、ポスト真実という状況を陰謀論の台頭によって特徴付けることはそれ程的を外してはいないだろう。

3　陰謀論と宗教

ポスト真実という状況で台頭した陰謀論には、宗教的信仰の一形態としての陰謀論が含まれている。また宗教的信仰の一形態としての陰謀論の出現は、米国に限られた現象ではない。本節ではこれらのことを中平久美子（1972）、辻隆太朗（2002）、バーカン（2004）、そしてラインアルター（2016）を参照しながら順次確認していこう。

Qアノンの一部は「嵐」を、人びとが真実に気づくという意味で「大覚醒（the Great Awakening）」とも呼び、それは「福音的事実（gospel truth）」であるとする。バーカンも指摘するように、1978年に歴史学者のウィリアム・マクラフリンは同じ「大覚醒」という言葉を使って、現代まで強い影響力をもつ宗教的な千年王国運動を特徴付けた。使われている言葉の一致から考えて、Qアノンの少なくとも一部は、宗教的信仰の一形態として、陰謀論を展開していると考えられる。ポスト真実の時代において、宗教的信仰の一形態として陰謀論が展開されることは、近代陰謀論が有する内実からも、米国での近代陰謀論受容史から考えても当然のことのように思われる。

近代陰謀論の源流は、18世紀に展開されたバリュエルとロビンソンによるフリーメイソン・イルミナティ陰謀論とされている。両者の陰謀論は、辻やラインアルターが指摘するように、急激な近代化に対する産物と考えることもできる。近代化という急激な社会変化に不安をもったり、うまく対応できなかったりした人々は、その責任を誰かに求めようとする。そのときにそもそもの変化の原因として、フリーメイソンやイルミナティが犠牲の羊に供せられた。そのため両者の陰謀論においては、近代化以前の社会の象徴としてキリスト教が称揚される。この近代陰謀論が有する内実は、米国に限らず、世界中でキリスト教信仰に代表される宗教的信仰と近代陰謀論を結び付ける際の接着剤となる。

実際に米国ではじめて近代陰謀論を紹介したとされるジェディディア・モールス(9)は、ニューイングランド教会でロビンソンの著作を支持する説教をおこなった。このことは近代陰謀論がキリスト教信仰の一形態として捉えられていたことを端的に示している。

また米国において、民主党と共和党以外の第三政党として、はじめて産声をあげたのは1828年に設立された反メイソン党（Anti-Masonic Party）である。中平も指摘するように、反メイソン党は、フリーメイソンが特権階級として大衆の利益を奪い、社会秩序を破壊する陰謀をもつという反メイソン運動をその基盤とする。この反メイソン運動は、西部の長老派やニューイングランド、ニューヨーク州の組合派教会からの強固な支持があったとされる。

さらに1920年に米国で『シオン賢者の議定書』が出版された。その影響を受けて1950年代には「ジョン・バーチ協会」や「リバティ・ロビー」といった極右団体による反共産主義・反ユダヤ主義の陰謀論が展開され、1980年代には「ユダヤ国際金融資本」を主役とする陰謀論が耳目を集めた。辻によれば、これら現代米国の陰謀論は政治的保守主義とキリスト教保守派による結合であるとされている。

バーカンは2000年代に入って、陰謀論は千年王国主義信仰の一形態として米国で蔓延していると分析する。2000年代に入る前に、ここで言われる千年王国主義は、大きく二つに分けることができるとされる。一つ目はキリスト教に端を発する「歴史が頂点に達したとき、この世の集団的救済が行われるというあらゆる宗教的な幻想」を意味する宗教的千年王国論である。これにはミラー教徒やシェーカー教徒などが含まれる。二つ目は「完璧な未来という世俗的な将来像」を含む世俗的千年王国論である。これにはマルクス主義やナチズムなどが分類される。

これらの二つに対して、２０００年代に入って勃興し、陰謀論をその宗教的信仰の一形態とする千年王国主義は「即興的千年王国主義（improvisational millennialism）」と呼ばれる。即興的千年王国主義は宗教的様式や世俗的様式の混淆にその特徴があるとされる。Ｑアノンがその系譜に収まる即興的千年王国主義の先駆的な存在として、バーカンは日本のオウム真理教を挙げる。このことは日本にも新たなＱアノンが現れる可能性を示している。

４―陰謀論の定義

ここまでにみてきたように、ポスト真実という状況下では、陰謀論がＱアノンをはじめとする宗教的信仰の一形態として出現することがある。現代において顕著になってきた宗教の現れ方の一つである陰謀論とはそもそもどのように定義できるのだろうか。この点について実際に辻隆太朗（2002）、バーカン（2004）、そして副島隆彦（2012）から引用しながら検討していこう。

２０２０年に行われた米国大統領選挙で、Ｑアノンが注目を浴びたのは、その精力的な活動によってである。実際に以下のような指摘がなされている。

また2020年6月には、マサチューセッツ州に住むQアノン信者が、自分の5人の子どもたちを車に乗せたまま、警察と約32キロに及ぶカーチェイスを繰り広げた。男性はカーチェイスの様子をフェイスブックでライブ配信し、「トランプ大統領、私には奇跡が必要だ。Qアノン、助けてくれ」と叫んでいた(10)。

Qアノン信者による危険行為や事件が相次ぐなか、FBIは2019年に「Qアノンは過激主義者を生み、テロや暴力に繋がる」と警告。フェイスブックやツイッター、ユーチューブなどのソーシャルメディアも、Qアノンのグループやページを削除する対策を打ち出した(11)。

それで分かってきたことの一つは、Qアノンが優れて「分散型」のネットワークであり、メンバー間で次々に新しい考えや会話が生まれている事実だ。つまり、特定の人物が「ボット」と呼ばれるソフトを用いて偽情報を大量に複製・拡散しているわけではない(12)。

Qアノンはインターネット内でも、また現実の世界でも個々人が精力的な活動を行っている。同じように、宗教的信仰の一形態としての陰謀論の先駆的存在であったオウム真理教も、個々人が精力的な活動を行っていた。

すでに確認したように、ポスト真実という状況では、客観的事実は不足しているのではなく、客観的事実は与えられている。つまりポスト真実という状況で、陰謀論者は客観的事実を与えられても、自らの陰謀論を修正することはないと考えられる。宗教的信仰の一形態としての陰謀論の先駆的存在であるオウム真理教も「ああ言えば、上祐」という言葉が流行したことが示すように、客観的事実が与えられても自らの陰謀論を修正することはなかったと考えることができる。

以上のことを踏まえれば、ポスト真実という状況に現れた陰謀論者は次のような特質をもつとまとめることができる。

陰謀論者は(a)精力的に活動し、(b)客観的事実を提示されても自らの陰謀論を修正することはない。

これらの特質(a)と(b)を陰謀論者がもつ理由を与えることができるか否かは陰謀論の定義の試金石となる。このことを念頭に置きつつ、有識者によって示された定義をいくつか参照していくことにしよう。

辻は2012年に出版された『世界の陰謀論を読み解く――ユダヤ・フリーメーソン・イルミナティ』で陰謀論をつぎのように定義している。

一般的に、ある主張が陰謀論と呼ばれる場合、そこには否定的なニュアンスが含まれる。堅い言葉で定義づけしておくとすれば、陰謀論とは、①ある事象についての一般的に受け入れられた説明を拒絶し、②その事象の原因や結果を陰謀という説明に一元的に還元する、③真面目に検討するに値しない奇妙で不合理な主張とみなされる諸理論、である。簡単に言えば、何でもかんでも「陰謀」で説明しようとする荒唐無稽で妄想症的な主張、ということだ。[13]

この定義では陰謀論の内容について①と②で規定し、それについての評価を③で与えている。陰謀論を本当かも知れないと思う人がいる以上、その定義として③のような著者もしくは知識人や学者といった権威がある情報源とされているような特定の人物による評価基準を入れることはそぐわないようにも思われる。

また定義全体としてみても疑問がわく。以下のような新進気鋭の学者による陰謀の指摘という例を想定してみよう。

〈新進気鋭の歴史学者の例〉

新進気鋭の歴史学者がある事象について、既存の学説とは異なり、一見すると奇妙で検討に値しないほど不合理に思われるが、陰謀があったと指摘する。

この例は辻による定義に基づけば、陰謀論とされる。だがこのような新進気鋭の歴史学者による陰謀の指摘を既存の学説と異なるからという理由で、陰謀論と切って捨てることはできるだろうか。それは単なる権威に基づいたレッテル貼りによる批判とも思える。だとすれば辻の定義には何か不足している条件があると言えるのではないだろうか。

さらに言えば①では「ある事象」と述べながら、②では「説明に一元的に還元する」というように一つの事象が対象となっているのではないと読み取ることもできる述べ方をし、かつ「簡単に言えば」以降では「何でもかんでも」とあたかもすべての事象を陰謀で説明することが陰謀論であるかのように述べられている。

これらの述べ方からは、対象となる事象が一つでも陰謀論として成り立つのか、あるいはすべての事象を陰謀で一元的に説明しないと陰謀論ではないのか、が判然としない。後者を採れば、先ほどの新進気鋭の歴史学者の陰謀があるという指摘は、すべての事象を陰謀で一元的に説明をしていないということで、回避されうるだろう。

しかし、その場合には新進気鋭の歴史学者がそれまでの定説に反して、歴史的なすべての事象が陰謀によって引き起こされたと指摘した場合には、それはその時点で陰謀論になるかという疑問がわく。そもそもすべての事象が陰謀によって引き起こされたという主張自体が奇妙で不合理だとすれば、一見するとこの指摘も回避できるとも思われるが、これまでの科学的な新発見がそれ以前の定説にとってみれば奇妙で不合理であったという歴史的事実を想い起こせば、この回避はそれほどよい解決策とも思えない。陰謀論の内容を規定するだけでは、陰謀論がなにか不健全であったとして、陰謀があるとする学問的で健全な指摘と陰謀論を区分けすることが困難であることを、辻の定義は教えてくれる。また辻による定義は、ポスト真実という状況の陰謀論者がもつ特質(a)と(b)を説明することはできない。

辻による定義に含まれる、すべての事象を一元的に陰謀に還元するという方向を明確に打ち出しているのがバーカンによる定義である。バーカンはまず陰謀論をつぎのようにシンプルに定義する。

最も広義の陰謀論とは、「広範かつ強力な悪魔的権力が歴史を支配しているとみなす」ことである。[14]

辻による定義に対して、バーカンによる定義は、陰謀論における陰謀が全面的であることを強調する。陰謀論が問題とする陰謀は、歴史学で少なくとも現在において定説になっている陰謀のように限定的なものではない。それはすべての事象が対象となった全面的な陰謀であるとされている。とはいえそういった全面的な陰謀が存在する確率が低いというだけでなく、不可能であるという証拠が無い限り、辻による定義と同様にバーカンによる定義は、陰謀の学問的で健全な指摘と陰謀論を主張することの差異を説明することはできない。また辻による定義と同様に、先に指摘した陰謀論者が特質(a)と(b)をもつ理由をバーカンによる定義は与えない。

辻やバーカンのように、陰謀論を客観的に観察し考察するのではなく、ある意味で当事者として自ら一般に「陰謀論」と呼ばれる議論を展開している人物の定義も確認していくことにしよう。インターネット上の百科事典であるウィキペディアでいくつかの陰謀論の「主唱者」とされている副島による定義はつぎのようなものである。

> ですから陰謀とは巨大な悪人たちが現にやっている世界支配のきわめて悪質なやり方のことだと私は考えています。小物のワルたちとか、本当は愛国者で正義の人々なのに、結局つかまって犯罪者にされてしまうような者たちの陰謀なんかが、陰謀のはずがない。もっと大きな悪で、今の世界の一番上の方の連中がやることがコンスピラシーだ。だから「権力者（支配者）の共同謀議は（は有る）理論」と今後訳すべきです。[15]

この副島による定義は、ほぼバーカンによるそれと大差がない。副島自身による強調点は、陰謀論における陰謀は、世界の支配者によって企てられている点である。その強調を除けば、副島による定義は、バーカンによる定義と軌を一にしている。

副島による陰謀論を巡る言説で、定義以上に注目すべきであるのは、陰謀論者である自分と陰謀論を企てた者との関係をつぎのように述べていることである。

だから×陰謀論という言葉を私は嫌いですからできる限り使いたくありません。自分も陰謀論者だ、などと呼ばれたくありません。巨大な共同謀議の悪事を行っている人々の、手下や家来たちから、そういう悪意のレッテル貼り(レイベリング)をされることも実に不愉快です。逐一、名指しで反論し反撃したい。(16)

ここで副島によれば、陰謀論者個々人は悪意ある攻撃に晒されており、それに激怒している。陰謀論者がもつ特質(a)と(b)に説明を与える一つの可能性として、本稿ではこの悪意ある攻撃に晒されているという陰謀論者の自己認識を重視したい。というのも他の誰でもなく、まさに陰謀論者個々人が実際に攻撃に晒されているという認識をもつのであれば、それは個々人の精力的な活動の源になると考えうるからである。

実際に副島は悪意に対応するために精力的に出版活動をしている。そして辻、バーカン、そして副島の定義が示すように、一般に何が客観的事実かを認定する権威ある情報源が陰謀を企てる側と結託していると陰謀論者が考えるのであれば、客観的事実は悪意ある攻撃を行っている人々から与えられることになる。かりにそれが本当に客観的事実であったとしても、自分に悪意ある攻撃を加える側が提示する客観的事実を受け入れることはできない。というのも隠してきた秘密の暴露のように、客観的事実を適切な時期に提示し、それを受け入れさせることを攻撃の手段とすることができるからである。だからこそ陰謀論者は、客観的事実をそれが客観的事実と認めながら客観的事実に基づかない判断をし、感情を重視するとされることになる。

このように考えれば、宗教的信仰の一形態である陰謀論を含むポスト真実という状況で台頭している陰謀論は、差し当たって以下のように定義される。

〈ポスト真実という状況で台頭する陰謀論の定義〉

陰謀論とは、（1）陰謀によって世界が動かされているという正しい主張は隠蔽されており、（2）正しい主張をするいわゆる「陰謀論者」は陰謀を企てる側の陰謀を隠蔽するための悪意ある攻撃に晒されている、という（1）と（2）を正しいと主張する立場。

この定義のポイントは、陰謀論者が陰謀論者と陰謀を企てる側との関係をどのように捉えているかを（2）に盛り込んだ点である。これを定義に盛り込むことによって、ポスト真実という状況で台頭する陰謀論を主張する陰謀論者がもつ(a)と(b)という特質に説明を与えることができる。（1）について言えば、陰謀は陰謀である限り、隠蔽されていなくてはならない。それが、表立って世界が牛耳られている場合と陰謀によって世界が動かされている場合の違いである。

5─ 陰謀論とインターネット

前節で得たポスト真実という状況で台頭する陰謀論の定義は、それを構成する（1）と（2）共に馬鹿げているか、あるいは不合理であるか否かを一旦置くとしても、奇妙であることは否めない。するとここで派生的に問題となることは、陰謀論者はいかにしてこのような奇妙な強い信念をもつに至ったかという、陰謀論の個々人における形成史である。この点についてバーカン（2004）と笹原和俊（2019）に基づいて論じていく。

この陰謀論の個々人における形成史は、近年、劇的な変化を被っている。それはインターネットの普及による変化である。バーカンが指摘するように、米国で大きな影響力をもつ宗教的信仰の一形態としての陰謀論は、特に２０００年代にコストが低く監視者が不在であるインターネットを介して陰謀論者個々人によって発信されるようになった。

それに加えてインターネットは、人間が元来もつ認知バイアスを強化する働きがある。たとえば人間は「確証バイアス」や「社会的影響」と呼ばれる認知バイアスをもつ。確証バイアスとは、人間の認知が元来もっている傾向性の一つで、自分の意見や価値観と一致するものばかりを収集し、そうでないものを無視する傾向性のことである。また周りの他者から影響を受けやすい傾向性の内で、自分の意見や価値観に似た他者の影響を受けやすい認知バイアスが社会的影響である。笹原も指摘するように、これらの認知バイアスとインターネット上のＳＮＳという情報アーキテクチャが相互作用することで、自分が好む主張ばかりが木霊し、真偽不明の主張でも信じやすくなるエコーチェンバー（Echo Chamber）という状況が形成されることになる。ポスト真実という状況で台頭する陰謀論が有する奇妙な信念は、このようなエコーチェンバーで強化されていると考えられる。

またこれに加えて、個人情報や個人の好みを学習するアルゴリズムの導入によって、その人が興味をもつだろう情報のみが提示されるフィルターバブル（filter bubble）という状況がある。２００９年12月４日にグーグルが個人のインターネット上での行動を収取し、そこから個人が好むだろう情報を提示するアルゴリズムを実装することで、パーソナライゼーション（Personalization）の時代が始まったとされる。パーソナライゼーションは、個々人にとっては自らが好む情報を提案してもらえるという利点が、また広告主等にとっては提案を巡る無駄なコストを削減するという利点がある。その一方で当然のことながら自らの意見や価値観に反する情報が知らぬ間に遮断され、個々人の孤立を深め、社会の分断を招く危険性がある。このような個々人の孤立の深まりが陰謀論を含むフェイクニュースの台頭に一翼を担っていると笹原は論じている。

ポスト真実という状況では、インターネットの普及と発展によって、エコーチェンバーとフィルターバブルによって自分の意見が木霊する部屋に閉じ込められている。このなかで陰謀論者は自らの信念を強化させていく。具体的に言えば、世界が陰謀で動かされ、それが隠蔽されていることをより強く信じていく。またそう強く信じるからこそ攻撃と悪意はさらに増していく。

6 陰謀論と教育

すでに指摘したように、ポスト真実という状況に突入して以来、客観的事実の提供を含むファクトチェックの導入や情報リテラシーを醸成する教育の必要性が叫ばれている。これらの対処法は、陰謀論を受け入れることが客観的事実の不足に起因しているという認識を前提としている。ポスト真実として現状を認識することは、本来はこの前提を破棄することである。というのも客観的事実は与えられているが、それに基づいた判断をしない者たちの存在をそれとして認識することが、ポスト真実としての現状を認識する要点だからである。

陰謀論はすでに指摘したように、さまざまな犯罪行為の温床となる可能性がある。その意味でポスト真実という状況で陰謀論が乱立する事態には対処が必要になる。いかなる対処が必要であるかについてヒック（2019）を勘案しつつ論を進めていく。

前節での分析を踏まえれば、インターネットの登場によって、人間が元々もっていた確証バイアスをはじめとした認知バイアスは強化され、人間はフィルターバブルの壁で出来ているエコーチェンバーに閉じ込められている。

フィルターバブルの壁でできたエコーチェンバーでは、一度誤った、あるいは奇妙な認識や意見を取り入れると、その声が木霊して、その誤謬や奇妙さからなかなか抜け出せなくなる。この時点では、多くの識者が指摘するように、客観的事実の提供を含むファクトチェックの導入や情報リテラシーを醸成する教育は有効である。

だがこれまでの考察が示したように、ポスト真実という状況での陰謀論の台頭は、単に誤った信念をもっているとか、奇妙な信念をもっているといったことで十分に理解することはできない。陰謀論者はエコーチェンバーのフィルターバブルの壁の外部には悪意が充満していると考えることで、客観的事実をかりに得たとしても受け入れないという状況を産み出してしまう。言ってみれば、陰謀論者は悪意をもって攻撃してくる他者に囲まれ、フィルターバブルの壁に囲まれたエコーチェンバーのなかで生活している。このような生活を営む陰謀論者に対して、客観的事実の提供を含むファクトチェックの導入や情報リテラシーの醸成を目的とした教育という従来の対処法は、悪意ある他者からの攻撃でしかなくなってしまう。

思えば陰謀論者が考えるように外部に悪意ある他者がいることを一旦置けば、人間は有史以来、フィルターバブルの壁でできたエコーチェンバーのなかにいる。閉鎖的な中世ヨーロッパの農村を考えてみよう。そこでは村の伝統を否定するような新規の考えや意見をもつ者は追放され、少なくとも外面的には同じ意見を言い合う村人だけが残っている。これはまさにフィルターバブルの壁でできたエコーチェンバーのなかに生きることである。中世ヨーロッパの農村であれば、その伝統は宗教的な伝統であると考えられる。そしてポスト真実という状況で台頭する陰謀論も宗教的信仰の一形態である場合がある。これらを踏まえて、宗教的な観点から陰謀論への対処法を探ってみよう。

中世ヨーロッパの農村において、自分がそのような誤った信念や奇妙な信念をもつに至るか否かは、どの農村に生まれるかに依存している。中世ヨーロッパの農村の比喩は、現代で言えば、陰謀論者とまでは言えない人びとが、インターネットを通じてどのような意見を最初に選び取り、それが強化されているかはまったく自分の環境に依存している、といった状況を浮き彫りにするだろう。こういった状況についてヒックは宗教という観点から、何処に生まれるかによって、自分自身がもつことになる宗教は異なる可能性を孕んでいるとする。そしてそのことを前提としてヒックは、宗教を一つの神的実在のさまざまな、ときには相反する表現と考えることで、それぞれの宗教が一つの神的実在の表現であるとする宗教的多元主義を提唱する。

本稿の提案は、宗教的信仰の一形態でもある陰謀論を世界という一つの実在のさまざまな表現として認めることである。ある意味での世界観多元主義を採ることで、互いが相反的であっても互いを否定する必要が無くなる。そうすることで陰謀論者は、世界観の一つとして、他者からの悪意の存在を一旦棚上げすることができるのではないだろうか。

7―おわりに

本稿での陰謀論の定義から考えて、陰謀論によって犯罪さえ起こってしまうのは、陰謀論者が自身に悪意が向けられている世界のなかで生きていると考えるからである。この点がなくなれば、それは陰謀論ではなく、単なる陰謀の指摘になる可能性がある。陰謀論は宗教的信仰の一形態でもあるので、ヒックに由来する宗教的多元主義を世界観にまで拡張し、自身が自身への悪意に満ちた世界にいるという認識を陰謀論者にいったん棚上げしてもらうことによって、悪意への反撃としての実際の行動という陰謀論の毒を無毒化しようというのが、本稿の提案する陰謀論への対処法である。

このようにして無毒化された陰謀論は、多くの人々が共有する世界観とは異なるエキゾチックな世界観として愉しみにすらなり、あるいはそこまではいかないにせよ、来るべき教育への道筋にはなる。

この無毒化を進めるには、具体的には高校生や大学生に対して、来るべき教育として、さまざまな宗教の形態の提示、宗教に対処するための宗教リテラシーの醸成、インターレリジャス・エクスピアリアンスの設定、自分以外のエコーチェンバーやフィルターバブルの使用などが考えられるが、それについては稿を改めたい。

註

（1）https://news.yahoo.co.jp/articles/0544db380314f35f9205683f32feae97ce05c0ff 等を参照。
（2）https://languages.oup.com/word-of-the-year/2016/
（3）https://news.yahoo.co.jp/articles/6561c6bf341423e27cf49de196fc3cc8306427bd
（4）https://twitter.com/kylegriffin1/status/916089355281862656?ref_src=twsrc%5Etfw%7Ctwcamp%5Etweetembed%7Ctwterm%5E916089355281862656%7Ctwgr%5E%7Ctwcon%5Es1_&ref_url=https%3A%2F%2Fwww.huffingtonpost.jp%2Fentry%2Fqanon-us-election_jp_5f9531dfc5b6a2e1fb620ae5やhttps://mainichi.jp/articles/20171007/k00/00e/030/239000cを参照。
（5）https://news.yahoo.co.jp/articles/0544db380314f35f9205683f32feae97ce05c0ff 等を参照。
（6）https://www.huffingtonpost.jp/entry/qanon-us-election_jp_5f9531dfc5b6a2e1fb620ae5 等を参照。Qアノンは個々人で陰謀論を発信するので、内容は多岐にわたる。たとえば「ドイツのメルケル首相はヒトラーの孫である」とか、「トム・ハンクスは小児性愛者である」とか、「新型コロナウィルスは実は存在しない」など、少なくとも現時点では客観的事実とされていないこともみられる。
（7）https://news.yahoo.co.jp/byline/nakaokanozomu/20201007-00201807/
（8）https://www.huffingtonpost.jp/entry/qanon-us-election_jp_5f9531dfc5b6a2e1fb620ae5
（9）ジェディディア・モールスはモールス信号の発明者であるサミュエル・モールスの父でニューイングランド教会に所属。地理教育への貢献から「米国地理学の父」とも呼ばれている。
（10）https://www.huffingtonpost.jp/entry/qanon-us-election_jp_5f9531dfc5b6a2e1fb620ae5
（11）https://www.huffingtonpost.jp/entry/qanon-uselection_jp_5f9531dfc5b6a2e1fb620ae5
（12）https://www.newsweekjapan.jp/stories/world/2020/11/post-94919.php

（13）辻隆太朗（2002：Kindle の位置 No. 29）
（14）バーカン（2004：14）
（15）副島隆彦（2012：Kindle の位置 No. 288）
（16）副島隆彦（2012：Kindle の位置 No. 288）

参考文献

坂本旬（2017）「〈研究ノート〉「ポスト真実」時代のメディア・リテラシーと教育学——フェイクニュースとヘイトスピーチへの対抗」、『生涯学習とキャリアデザイン』第15巻第1号、法政大学キャリアデザイン学会、97～112頁
笹原和俊（2019）『フェイクニュースを科学する——拡散するデマ、陰謀論、プロパガンダのしくみ』化学同人
島薗進（2000）「現代宗教と公共空間——日本の状況を中心に」、『社会学評論』第50巻第4号、日本社会学会編、541～555頁
副島隆彦（2012）『陰謀論とは何か——権力者共同謀議のすべて』幻冬舎新書
耳塚佳代（2020）「フェイクニュース」時代におけるメディアリテラシー教育のあり方」、『社会情報学』第8巻第3号、社会情報学会、29～48頁
辻隆太朗（2012）『世界の陰謀論を読み解く——ユダヤ・フリーメーソン・イルミナティ』講談社現代新書
中平久美子（1972）「反メイソンに関する史学的考察——「ジャクソニアン・デモクラシー」における第三政党」、『史苑』第33巻第2号、立教大学史学会、118～130頁
マイケル・バーカン（2004）『現代アメリカの陰謀論——黙示録・秘密結社・ユダヤ人・異星人』林和彦訳、三交社
ジョン・ヒック（2019）『宗教の哲学』間瀬啓允・稲垣久和訳、ちくま学芸文庫
ヘルムート・ラインアルター（2016）『フリーメイソンの歴史と思想——「陰謀論」批判の本格的研究』増谷英樹・上村敏郎訳、三和書籍

第10章

流れる歴史

――海洋と地球温暖化

畑 一成
HATA Kazunari

1 はじめに――水と熱と海洋

水について、人は知っていそうで、あまり知らない。ほとんど何も知らないのかもしれない。もしかすると、人にとって、水は必要不可欠のものであり、最も基本的な物質である。最初期の哲学者の一人でもあるミレトスのタレスも、この世界の始源的なものとして水を挙げている。水の性質について、現代では分子量から比熱、粘性などかなり正確に解明されている。古代より水は、最も根源的なものとみなされ、さまざまに利用し、同時に研究されてきており、よく知られているように思える。しかし、このありふれた物質には、未だに不可解な点が多くある。

水そのものは、歴史においてあまた記述されてきており、環境問題の歴史においても数多く言及されている。古代ローマを象徴する建築物である水道も、もとは水質汚染に対応するためのものだった。ローマでは、人口増加と密集によって、テヴェレ川や地下水が汚染され、コレラや腸チフスなど水系感染症などのさまざまな健康被害が起こっていた。飲料用の水をきれいな水源から引いてくる必要に迫られ、ローマ水道という長大でいて精密な古代建築の傑作が生まれている。そのあまりの規模と精密さから、当時の危機の深刻さがうかがい知れる。それから2200年以上あとの1892年に、エルベ川に隣接するハンブルクでも水系感染症コレラのパンデミックが起こった。その際、ロバート・コッホが調査をし、飲料水を媒介にしてコレラ菌が広がっていることを明らかにしている。それ以降、ハンブルクなどの都市は、古代ローマと同じように、上水と下水の施設に多大な支出を強いられるようになった。

水は生命の源であると同時に、汚染の媒介者でもあり、常に大規模な行政的な措置を要請するものであった。それゆえ近代の汚染を中心にした環境問題で、水は最重要課題の一つとされてきており、イタイイタイ病や水俣病を経験した現代のわれわれにもなじみが深いものと言える。しかしながら、温室効果による温暖化など熱系の環境問題のなかで水が扱われるようになったのは19世紀の終わりであり、さらに海洋がどのように気候変動に関係しているかについては、1950年代以降になってようやく明らかにされるようになった。地球温暖化というと、すぐに大気のことが思い起こされるが、海洋の働きも重要であり、近年「大気海洋相互作用」といった用語で語られるように、大気と海洋とが気候を作り上げていると言ったほうが正確である。

大気が排ガスなどによって温暖化していく様子は体感的にもイメージしやすい。他方で、海洋が温暖化につながることは、一段考えをめぐらせなければ分からない。さまざまな資料を提示され、たしかに海洋も温暖化に関与していると理解するに至ったとしても、その温暖化に対する海洋の関与の度合いは、思う以上に過小評価されているだろう。

「地球温暖化（global warming）」という言葉は、そもそも海洋学者たちから述べられたものだった。

１９５０年代にアメリカのロジャー・レヴェールがこの語を初めて使用し、それを１９７０年代にウォーレス・ブロッカーが広めている(1)。それからさまざまな研究が進められてきたものの、ジュネーブに本拠を置く政府間機構であるＩＰＣＣがこれまでの気候変動に関する海洋研究の成果をまとまった形で発表したのは、一昨年の２０１９年の「変化する気候における海洋と雪氷圏」という特別報告書においてであった。

２――運動体としての地球温暖化

現在の社会において、地球温暖化問題は、主に４つの側面で論じられている。科学と政治、経済、市民という側面である。そのなかのどれを主語にもってくるかで、他のものの述語の表現も変わってくるが、科学者が事実を伝え、政治家が指導し、経済界が流通させ、市民が行動するといったものだと表現できる。ドイツ政府が２０１６年11月に制定した「気候保護計画２０５０」では、それら４つの主体が互いに協力し合い、環境問題の解決が進められるとされている。この４つの参加者の関係は、それぞれ国や地域、時期によって異なってくる。

現在のドイツでは、産業界とつるんだ政治に対して、市民が科学者の声を聞けと叫び、科学者がその市民の行動を称賛するという構図がよくみられる。欲にまみれたペテン師たちに対立する正義感あふれる純真な人々といった、分かりやすい善悪の対立構造が描かれている。それは、一歩引いた理性的な人には辟易するような安易な筋書にみえるだろうが、そのなかで実践的な活動を行っている市民や科学者、さらに一部の経済人、政治家などには大きな成長力を秘めたダイナミックな運動体にみえているだろう。冷静な認識を振り払うこの運動体のいわば敵というものは、対立するペテン師たちではなく、ニヒリズムである。何も変わらない、誰にも届かない、そもそも何の手触りもないといった虚無感が運動体の力を奪っていく。市民が政治家に対立している場合、デモや選挙など、そこに争っている感触がある。だが、反発も弾圧も感じられなければ、力は行き場を失う。それは、環境問題に関する日本の状況であるとも言える。科学者や政治家、経済人、市民らの誰かが勇気を振りしぼって環境保護を訴えても、こだまは返ってこず、のれんに腕押しの状態である。日本からドイツをみると、冷静さを失った運動が目に映るだろうが、ドイツから日本をみようとすると、何もみえない空虚があるだけである。

地球温暖化問題がさまざまな参加者の協働によって解決されるのだとすれば、「調和」こそが第一原理と想定される。科学者や経済人、政治家、市民らが互いに協力し合い、地球規模の危機に対処するというのが理想的ではある。しかし、そのような教科書的な調和といった考え方からは、運動体やニヒリズムといった常に均衡を崩そうとする力動性や虚無性が隠れてしまう。気候のような不安定で複雑な事象、あるいは非線形の大域結合のシステムに対して、変化の乏しい均衡・定常状態を表す調和や協同といった体制で臨んでも、十分に対応できるかは不明であり、その認識関心の制限から見落としてしまうものも多くあるのではないか。

運動体であるとするならば、調和ではなく不均衡、協同ではなく主導権争いといったものがみえてくる。対立によって運動体が構成されるなら、それらのうちどれが均衡を崩し、優勢になるのかが中心事となる。実際に、政治的側面における地球温暖化や環境問題は、ヘゲモニーが崩れる冷戦末期から大きく取り上げられるようになっている。

3—運動体の遷移——核の恐怖から温暖化の危機へ

1988年12月7日の国連総会でソ連の最高指導者ゴルバチョフが、「国際的な経済安全保障は、軍縮だけではなく世界の環境に対する脅威を取り除くことなくしては考えられない」[2]と述べたことは、運動体としての環境問題を表す代表的な声明であると言える。書記長に就任して間もないゴルバチョフは、ソ連を「悪の帝国」と名づけ強硬な姿勢をとっていたロナルド・レーガン米大統領と1985年から1988年にわたって4回の首脳会談を行っている。1985年末にソ連の重要な収入源の一つである原油価格がほぼ半分に下落し、さらには翌年の1986年4月にチェルノブイリ原発事故が発生するなど、ソ連は経済や社会において大きく動揺し、ペレストロイカの必要性に迫られていた。その渦中の1986年10月にゴルバチョフは、アイスランドのレイキャビックでレーガンとの2回目の会談を行い、核兵器の廃止に合意している。そこからわずか1年半後の1988年5月の4回目の会談で、アメリカとソ連の対立を最も先鋭化させていた中距離核戦力全廃条約が、レーガンとゴルバチョフとで実際に調印されることになった。その半年後にゴルバチョフは、先の国連での演説を行っている。

ほとんど同時期の1988年11月に、IPCCも国際連合環境計画と世界気象機関が合わさり成立している。それから1991年12月にソ連が崩壊し、その半年後の1992年6月には地球サミットとも呼ばれた国連史上最大規模の会議「国連環境開発会議」が開催された。そこで「気候変動に関する国際連合枠組条約」という温室効果ガスから気候を保護しようとする新しい国際的な枠組みが成立している。この枠組みが1997年の京都議定書や2016年のパリ協定へとつながることになり、国際政治において環境問題が最大の課題の一つとして扱われるようになる端緒であった。

ゴルバチョフが核軍縮と環境保護を並置させているように、一見、無関係にみえる軍縮と地球温暖化問題も、互いに隠喩であるかのように密接に関係している。その後の流れでは、核軍縮は表舞台から消え、代わり環境保護が登場している。ヘゲモニーが崩れた運動体は、虚無に解消されないように、新たな対立軸を探し出していく。あるいは論点がすり替えられるかのように、新時代の幕開けが宣言されている。それゆえ、地球温暖化と核軍縮は互いに似ているとも言われ、その構造も多くの共通点をもつことになる(3)。たとえば、両者とも「削減」や「縮小」が基本的な方向性になっている。核戦争が地球規模の深刻な危機であったように、地球温暖化の深刻さは、前の運動体の勢威そのままに受け継がれている。この軍縮から地球温暖化問題への遷移は、運動体が持続を望む本性からして、また両者の類似性からみても、ごく自然な移り行きとなってしまっている。

これは単なる比喩ではないかと思われるかもしれない。実際にアナロジーでしかない比喩的な面が多々ある。だが少なくとも、先ほど挙げた「地球温暖化」という語を初めて用いた海洋学者レヴェールには、軍事と温暖化とは論理的にも密接なものだった。彼は、温暖化が続けば、北極圏の海氷が解け、ソ連が「強大な海洋国家」になると言っていた(4)。海氷がなくなれば、広大な航路が拓かれると同時に、地下資源の利用も進む。そこからさらに、海上の軍事的な境界線も変動することが目に見えている。ちなみに、アメリカが初の原子力潜水艦ノーチラスを就役させたのは1954年であり、ソ連も同様に原子力潜水艦を進水させたのは1957年であった。先のレヴェールの言明は、この間の1956年に出されている。危機を煽って研究費を獲得しようとするのは、学者の常套手段だが、温暖化問題は実際にヘゲモニーの変動を含意しており、地球温暖化と軍事が密接なものだと認識されていた。地球温暖化と核軍縮は、比喩的なものだと言えるが、戦略的推論として論理的な関係にもあった。地球温暖化を含めた環境問題には、常に軍事的な背景が見え隠れする。

4 核実験と海洋探査

第二次世界大戦中からそれ以後に、数多くの核実験が行われた。核爆発の実験場に選ばれたのは、先住民が暮らす辺境の土地（ニューメキシコ州、ネバダ州、ウイグルのロブノールなど）が多かったため、先住民の権利とともに自然も顧みられることはなかった。世界最大の非政府系自然保護団体の一つであるグリーンピースは、もともと核実験に反対する運動から始まっている。1960年代後半にアリューシャン列島にあるアムチトカ島で計画されていた核実験に反対するためにグリーンピースは結成されている。この運動はメディアでも取り上げられ、大きな求心力をえることができた。その運動の影響もあってか、最終的に核実験が中止されている。それによってグリーンピースは、自然保護と反核を対置させる代表的組織となった。この構図が上述の核軍縮と地球温暖化との関係へとつながっていくのだが、核実験はそうした運動とはまったく別の仕方でも気候変動へとつながる。

軍事に対立する自然保護以外に、軍事の影にある科学的調査もあった。すなわち、核実験が地球科学の進展にいかに結びついたのかが挙げられる。数多くの核実験により、放出された放射性物質は、大気をめぐり世界中に降り注いでいる。大量の核種が大気に放出されることで、これまであまり知られていなかった地球規模の拡散の仕組みが分かるようになった。特に、ある種の放射性物質は、海洋の深く広範な海流を知る重要な足がかりとなった。光学的に観測が可能な海面ではなく、光の届かない海の中層や深層がどのように振る舞うのかは、核実験由来のトリチウムを追うことで初めて理解されるようになった。

１９６３年に部分的核実験禁止条約が発効され、地下を除く核実験が禁止されることになるが、アメリカは１９６２年からこの禁止条約の調印直前までの1年間だけでも、ドミニク作戦やストラック作戦と銘打った核実験をマーシャル諸島の太平洋核実験場やネバダ核実験場などで１００回以上実施しており、ソ連も70回以上の実験を行っていた。禁止条約が発効された１９６３年10月を境に大気中の核実験が行われなくなり、トリチウムは、自然由来のもの以外は生成されなくなる。

その時の核実験で放出されたトリチウムは、水の形としてトリチウム水になり、雨となって広範に降り注ぐ。爆発で成層圏にまで到達したトリチウムは、数年かけて地上近くの対流圏にまで降下してくる。この１９６３年から2年の期間に、現在の10倍ほどの濃度のトリチウムが雨となって降り注いでいた。降り注いだトリチウムは海に落ち、そのまま海に取り込まれていく。トリチウム水は、水と同じ性質をもちながらも放射能を出すことで、優秀なトレーサーとなり、それを追跡することによって、海水そのものがどのように拡散していくのかより正確に観測されるようになる。これが海洋の深層にある海流の振る舞いを明らかにする研究の重要な端緒を開き、のちに地球温暖化を考察するにあたって不可欠な海洋大循環論へとつながっていく。

地球温暖化、あるいは環境保護という運動体には、ニヒリズムという対立項があり、核軍縮という過去があり、そしてその皮肉な影として科学的発見がある。政治や産業界を対立項としたり、伝統的な自然観を前史としたりしていては、地球温暖化問題の単調な一側面しかみえてこない。海洋学の歴史は、聞きなれた温暖化の話とは異なる切り口の物語を提示する。

5―地球温暖化から気候変動の歴史へ

大気を構成する分子のなかで、常温で液体になるのは水分子だけである。その水の比熱は、液体アンモニアを除き、液体中最大である。比熱とは、一定量の物質を一定温度温めるために必要な熱量のことであり、比熱の大きさは、物質の温度変化の乏しさを表している。つまり、比熱の大きい水は、温めにくく、冷めにくい。水は、空気と比べても4倍比熱が大きく、質量も１０００倍大きいので、単位体積当たり４０００倍の熱容量をもつ。海洋と大気の総質量からみると、海洋は大気よりおよそ１０００倍の熱容量をもつことになる。この性質でもって、海が、地球の寒暖差を小さくして、地球の温暖な気候が保たれ続けるのを可能にしている。実際に、海洋は地球の熱を多く吸収しており、ＩＰＣＣの特別報告には、１９７１年以降の大気中の熱の90パーセントは、海洋に吸収されているとある(5)。

また、水は蒸発時の潜熱が物質中最大である。潜熱とは、物質が固体や気体といった状態の相を変えるときに必要とされる熱である。水が水蒸気へと相を変えるとき、多大な熱量が必要とされ、それにより表面の熱を大きく奪う。この潜熱によって、たとえば、海面の熱を吸い取った水蒸気が大気上層にまで昇り、再び雨として液体になる過程で熱を宇宙空間へ放出し、地球を冷やしている。大きな潜熱は、そうした大量の熱の輸送を可能にしている。この性質から水蒸気は、ある意味最大の温室効果ガスであるとも言われる。

水は、分子の構造上、正側に帯電した部分と負側に帯電した部分の両面を持っている。この性質により、多くの物質を溶かすことを可能にしている。海水には、気体や金属も含め、92種類の天然元素すべてが溶け込んでいる。温室効果ガスである二酸化炭素も多く海水に溶け込んでおり、人類が排出した二酸化炭素のおよそ3割が海洋に吸収されていると言われる。水は、膨大な熱容量をもち、熱の大量輸送を可能としながら、多くのものを溶かし込む性質を有している。ありふれた水が、こうした特異な性質をもっていることで、安定した気候が実現されている。

水は蓄熱とその大量輸送を実現しているが、表現を変えれば、拡散するという熱の本性を最大限抑え込んでいるとも言える。熱は放っておけばすぐさま拡散してしまう。水は、その大きな比熱や潜熱、溶解の性質でもって、熱がやすやすと放散してしまうのを防いでいる、あるいは熱がゆっくりとしか発散しないようにしている。そして、その性質によって、熱の対流や循環に関する最も基本的な形態が現れている。もちろん循環といっても熱エネルギーは徐々に失われ、外部から供給を受ける必要がある。海洋は、熱をただ単に霧散させてしまうのではなく、循環という輪のなかに閉じ込めようとする。熱がゆっくりと流れたり循環したりすることから、海は優れた記憶装置だとも言いうる。つまり、海洋は最も単純な形の歴史を可能にしている。(6)

6— 深層循環海流の歴史性

大気を扱う気象学と海洋学は、密接した学問であり、海洋学でも使われる「成層」や「対流」といった用語は気象学から流用されている。これは、両学問が発展するなかでどのように関わったのかだけでなく、気象現象と海洋現象との接続点も表している。流体力学において、密度などの度合いの違いで枝分かれするが、気体も液体も質的な差はないとされ、気象学においても海洋学においても同じ流体の運動方程式が使用される。

しかしながら、大気と海洋には違いもある。大気においては境がない。対流圏や成層圏、中間圏、熱圏、さらに気圧や風、高山による区切り目をつけることはできる。しかしながら、何か物質的なものではっきりと区切られているわけではない。それゆえ、大気に関する汚染などは、国境や大陸を超えて拡散するというイメージをもちやすく、地球規模の問題だと認識しやすい。それとは異なり、海洋の場合、各大陸によって縁どられ、大気に比べより明確な境界線が引かれている。海はすべてつながっていると言われて、実際にその通りだと理解できるが、どことなく比喩的な表現にも聞こえてしまう。ある種の区切や偏り、あるいは形態が海洋にはあると考えれば、海洋の特徴がより明確になる。海洋に形態があることで、独特の海流が形成され、循環構造が生起している。それによって、大気にはない長い歴史性が生まれる。

離散した各大陸が、海洋の輪郭を形成し、流れの道筋を作っている。黒潮が東シナ海の陸棚斜面上から日本列島に沿って流れ、北太平洋海流を経て、太平洋の対岸であるアメリカの西海岸に沿ってカリフォルニア海流として南下する。そこからさらに太平洋の西側へ北赤道海流として進み、再び黒潮へと繋がるように、大陸に仕切られながら海水は大きく循環している。この海の表層の流れは、主に大気の動きが海に影響することによって起こり、吹き付ける風に対する海水の風応力によって説明される。

しかし、風が吹けば、その吹いた方向に、そのまま海流ができるわけではない。風が吹く向きに対して、地球の自転によって引き起こされるコリオリの力が働き、北半球においては風の進行方向に対して右側に海が流れ、南半球において左側に流れる海流がつくられる。しかも、海が深くなればなるほど、右側や左側に傾く角度が大きくなり、深海では流れが弱まりながらも、風の進行方向に対して真逆の方向にも水が流れる。これはエクマン螺旋と呼ばれる現象である。そうして風が吹き付けられた海は、全体としては風の進行方向に対しておよそ90度の方向に曲がって進む。大気の動きがそのまま海洋に反映されるわけではなく、大気と海洋の流速の差があり、さらに深さによってまったく異なる流速をみせることから、真逆の動きさえ可能になっている。これが海洋の循環現象を複雑、かつ独特のものにしている。

海洋の表層における大循環とは異なる深層における熱塩循環(子午面循環とも呼ばれる)というものがある。風の影響も受けながらも、海水の温度や塩分の濃度の違いによって生じるとされる循環である。温度が低いと海水の密度は大きくなる。また塩分が多いと、密度も大きくなる。密度の大きい海水は、沈み込むことになる。この沈み込んだ冷たい海水が、海底の地形に沿いながら循環する。

1958年にヘンリー・ストンメルがそうした初期の深層循環の姿を描き、1987年にウォーレス・ブロッカーがグレート・オーシャン・コンベヤーとして研究を深化させている。冷たく塩辛い海水が生成されるのは、グリーンランド付近と南極周辺である。海水が凍りつくとき、氷と塩分が分離する。排出された塩分で海氷付近の塩分濃度が高くなる。そこから密度が大きくなった海水が沈み込み、インド洋や太平洋で表層へと湧昇する。そこで温かくなった海水は再び北大西洋へと戻り、大洋をすべてめぐる地球上最大規模の循環が描かれる。

この深層の循環は、大気の気流とはまったく違う速度で進む。大気ではそよ風程度でも秒速2メートルほどで進むが、深層の海流では秒速数センチメートル程度でしか進まない。このゆっくりとした流速が、独特の歴史を可能にしている。深層の海水は、海流の位置によって老若が変わってくる。海水に含まれる放射性炭素の年代を測定すると、南極海ではおよそ800年前、太平洋の深層ではおよそ1700年前の海水が流れている。それゆえ、北大西洋を出発した熱塩循環は、およそ2000年かけて元の海域に還帰していると見積もられている。

海洋は流れることで歴史を実現している。ただ単に留まることや雲散霧消することからはみえない移り行きの軌跡を、流れることで残している。それは、数年や十数年で終わる短い期間ではなく、数千年単位の歴史である。そして、この流体の歴史性は、流れ終えて積もった後に形成される地層のようなものではない。むしろ、流れていること自体で歴史が保たれている。地層のように堆積物が後から後へと積み重なり過去を閉じ込めるのではなく、流れそのものが時間を形成している。流体のまま歴史を実現させているのが、海洋における歴史性である。

流れることについて考察したヘラクレイトスは、同じ川に二度入ることはできないと述べている。彼は、流れの変化を強調し、流転ということがらに含まれる一回性、あるいは流れを横切る主体の視点からみえる風景について述べている。それによって流れと主体が対比され、主体の変わらなさ、あるいは同一性が際立つことになる。だが、深層の海流の場合は、昔の流れのなかに再び入ることができる。現在インド洋で湧昇している海水はおよそ1200年前のものである。平安時代の頃に沈み込んだ海水が、今、再び現れてきている。過去は現在と切り離されているのではなく、数珠繋ぎになっている。流れのなかで、現在と過去は同じ時点にともに存在し、最も古い過去は現在の真後ろにいるとも言える。過去の流れに遡りたければ、入り込むことができ、いわば現在を過去にすることも可能である。

流れが歴史性を可能にしているのなら、流れが止まることでその歴史性も消失することになる。流れを止めれば、過去が消えてしまう。過去が消えては、その流れの痕跡すら辿ることができなくなる。そこにどのような海流があったのかみえなくなり、新しい別の流れや水塊に置き換えられてしまうにしても、何と何が置き換えられたのか分からなくなる。一度霧散した流れが復活するにしても、その歴史性が消えた後では、本当に同じような流れとして復活したのか定かでなくなる。流れた水が一回性のものなのではなく、流れによって実現される形態全体、つまり歴史全体が一回性のものである。

現在の地球温暖化で、熱塩循環が弱まっていることが報告されており、この深層の海流が消えてしまうことが懸念されている。消えてしまった場合、一つの仮説として次のような事態が考えられている。温かい赤道近くの海流が北大西洋に向かわなくなり、グリーンランド付近は寒くなる。熱をえることができなくなったところでは、寒さのフィードバック現象が起き、寒さが寒さを呼ぶようになる。それに対して、これまで冷たい海水の供給を受けていたインド洋や太平洋では、冷却源を失い暑くなると考えられている。大量の熱輸送によって地球全体の温度調整を行っていた熱塩循環が止まると、各地域間で振れ幅の大きい気候変動が起こるというシナリオである。

これはヤンガードリアス期の寒冷化を念頭にたてられた説である。今からおよそ1万2900年前から千数百年かけて急激な寒冷化が起こったとされている。氷期が明けて温暖化が急速に進むなか、北アメリカの氷が解け、大量の淡水が北大西洋に流れ込み、熱塩循環が弱まる。そうして寒さが寒さを呼ぶフィードバック現象が起き、寒冷化したのではないかと考えられている。現在は、その時とよく似て温暖化が急速に進んでおり、グリーンランドや南極の氷が解ければ、同じように大量の淡水が海洋に流れ込み、熱塩循環が止まるとも考えられる。ただ、1万2900年前と現在の初期条件が同じであるかどうかはまだ明らかではなく、同じシナリオを読み込むべきなのかはまだ分からない。

海洋からみると、温暖化が進むにつれて、変動の幅が大きくなり、逆に寒冷化の危険性が高まるのもよくみえてくる。温暖化と寒冷化とがそれぞれ別の場所で同時期にみられることは、バイポーラーシーソー（bipolar seesaw）と呼ばれている。たとえば北半球で温暖であれば、南半球は寒冷であるという逆位相を示す。このシーソーは、深海の循環による熱輸送に起因するものだと考えられている。熱塩循環でみたように、北半球の温度が、南半球へと深海をゆっくりと流れながら伝播する。深海へと沈み込む前の気温が海水に保存され、数千年かけて別の地域に移送される。この時間差が、南北など地域間の気温の違いを作っている。逆位相とは、深海の流れの速度のことでもある。数千年前の歴史が現れ、現在の気候を変える。熱が遅れて届けられ、あるいは熱の時間が引き延ばされ、各地域が同時期に異なる歴史の中を生きることになる。熱塩循環の停止は、そうした異なる位相の継起を止め、すべてを同一の現在へと収斂させる同期性を実現させることになる。海流の速度は、流れの外にある事象の進展する速度を変更していると言える。つまり、地球の時間をつかさどっているのは海流であり、その時間性は流れによって決められる。

地層の歴史性が現代に何も影響を及ぼさないのと対照的に、運動として成立している海流の歴史性は、現代に作用する。流れは、遠くにあるはずの事象に対してでさえ、大きな影響を及ぼす。それゆえ、流れから形成される歴史は、複数成立する。海水は、それぞれの海洋の場所や深さにおいて熱塩的、あるいは化学的組成の違いがあり、別々の水塊として簡単には交じり合わない。互いに流入せず、断片化が起こっているが、長い年月でみると弱くゆっくりと影響を与え合っている。つまり、相互関係は、どの時間単位でみるかという歴史性によって決められる。ある流れは自分独自の形態と歴史性をもち、他の流れとテレコネクションのような弱くねじれた歴史的な関係をもつ。もしこのように考えられるなら、運動体としての海洋の遷移というものは、海洋の流れの歴史形態のうちに見出せることになる。

流れが歴史を形成するとすれば、流れが変わるごとに歴史性も一変する。歴史性が変わることは、海流の形態が変わることであり、まったく別の気候とその変動の周期が実現することになる。それゆえ、海洋がどのような形態と歴史をもち、どの方向へ向かっているのかを見極めることは、気候変動の調査にとって最重要の課題となる。

7―おわりに

気候変動の本拠は歴史にある。あるいは温暖化問題の産物は、歴史学の大幅な発展にある。気温計など近代の初歩的計測技術は最近数百年程度の気温の変化を記録し、木の年輪では1万年程度の気温変化を、湖の年縞堆積物では10万年弱、放射性同位体の半減期を利用した年代測定では使用する核種によって数十億年の気候の歴史をも垣間見させてくれる。

温暖化問題が軍縮と同じように論争を呼びやすいテーマであることから、精緻であるとともに広範な測定調査が必要とされている。その測定結果は、古気候学だけではなく、人類史や政治史、さらには思想史なども大きく展開させることになった。長い地球の歴史において全球凍結もありながら現在では例外的に温暖な気候が続いていることや、ヨーロッパの南端の洞窟でネアンデルタール人が凍えながら壁画を残したこと、さまざまな歴史上の政変の影に干ばつや冷夏などの気候変動があったことなど、今まで知られていなかった多くの側面に光が当てられている。そうした歴史性は、これまで多くの場合、単純な因果関係で説明されてきた。ホモ・サピエンスとの競争でネアンデルタール人が滅んだとか、オスマン帝国によって東ローマ帝国が滅ぼされたなど、イメージしやすい因果関係で説明されてきた。しかし、それぞれに気候が大きく関わっていることが明らかになり、歴史の展開に関する別の観点が可能になっている。

そうした歴史における事象の見方だけではなく、歴史そのものの形式も変わってしまう可能性がある。これまでの歴史学は、埋められた事実を掘り起こし、点と点とを結び合わせて、隠れた流れを浮かび上がらせようとする。それとは逆に海洋では、数千年単位の過去が現に流れている。もはや途切れてしまった点と点ではなく、流れそのものがある。事実を確定するという伝統的な歴史の方法ではなく、変化の威勢を追うという別の歴史の考察の仕方が、単なる比喩としてではなく、見て触れられるものとして流れている。

流れそのものが歴史を形作っているとすれば、これまでのものとは違う歴史の考察の仕方が必要になる。流れとは運動体であり、運動体はまったく別種のものに対しても容易に遷移し、流れを引き込んでしまう。核軍縮から地球温暖化への遷移は、事柄の本質だけをみようとするやり方ではただの筋違いにしか思えないが、流れそのものを注視するならば、むしろ自然なものに思える。行き場を失った運動体の勢威、あるいは熱といったものは、必ずどこかへ運び出され、表出する。しかもさまざまな年代の異なる過去が同時に現在に現れたり、まったく別の時代や地域に湧昇してきたりするといった海流の歴史性がある。未だあまり知られていない多くの歴史の諸相が、海洋の奥深くをひっそりと流れている。そうした海洋史の編纂こそが、地球温暖化のみならず、その先の問題への手がかりをみつけ、持続とは何なのか、歴史とは何なのかを教えてくれる。

註

（1）初出はロジャー・レヴェールの研究活動を紹介した１９５７年11月６日のThe Hammond Timesの紙面上であり、のちのウォーレス・ブロッカーが自身の論文でこの語を使用し、一般的な用語とした。Spencer R. Weart, "The Public and Climate Change", in: *The Discovery of Global Warming* (https://history.aip.org/climate/pdf/Public.pdf), 2020, p. 11（スペンサー・R・ワート『温暖化の〈発見〉とは何か』増田耕一、熊井ひろ美訳、みすず書房、２００５年）およびWallace S. Broecker, "Climate Change: Are we on the Brink of a Pronounced Global Warming?", in: *Science*, vol. 189, no. 4201 (Aug. 8, 1975), pp. 460–463を参照。

（2）United Nations, Provisional verbatim record of the 72nd meeting, held at Headquarters, New York, on Wednesday, 7 December 1988: General Assembly, 43rd session. ソ連が崩壊した後も、ロシアは環境保護に関する基本法を１９９１年12月に制定

している。

（3）米本昌平『地球環境問題とは何か』岩波新書、１９９４年、第2章を参照。

（4）Spencer R. Weart, Global Warming, Cold War, and the Evolution of Research Plans, in: *Historical Studies in the Physical and Biological Sciences*, vol. 27, no. 2 (1997), p. 344を参照。

（5）IPCC, 2019: *IPCC Special Report on the Ocean and Cryosphere in a Changing Climate* [H. -O. Pörtner, D. C. Roberts, V. Masson-Delmotte, P. Zhai, M. Tignor, E. Poloczanska, K. Mintenbeck, A. Alegría, M. Nicolai, A. Okem, J. Petzold, B. Rama, N. M. Weyer (eds.)]. In press, p. 456.

（6）この海洋の歴史性を捉えようとする初期の学的探究に水成論があった。水成論は、岩石の生成や堆積を海洋の働きに帰するものとされる。大陸ヨーロッパで唱えられ、18世紀のドイツ人地質学者アブラハム・ゴットロープ・ヴェルナーがその代表的な論者だとされる。それに対立する論として火成論がある。こちらは、火山活動が岩石の形成に深く関与していると論じ、スコットランド人のジェームズ・ハットン（１７２６〜１７９７）が主導者として挙げられる。両者が目指したのは、地球の歴史の解明であり、その歴史性を火山などの火から捉えるか、海洋などの水から捉えるかの違いであった。前者が熱を探求の方法論として採用、後者が溶解性、あるいは化学を導きの糸とした。それゆえ、火成論が「斉一説」という均質な広がりの歴史性を導出するのに対して、水成論は「天変地異説」とも呼ばれる大幅な性質の変容という歴史性を念頭に置く。

参考文献

Broecker, Wallace S.,“Climate Change: Are we on the Brink of a Pronounced Global Warming?”, in: *Science*, vol. 189, no. 4201 (Aug. 8, 1975), pp. 460–463

花輪公雄『海洋の物理学』共立出版、２０１７年

IPCC, 2019: *IPCC Special Report on the Ocean and Cryosphere in a Changing Climate* [H. -O. Pörtner, D. C. Roberts, V. Masson-Delmotte, P. Zhai, M. Tignor, E. Poloczanska, K. Mintenbeck, A. Alegría, M. Nicolai, A. Okem, J. Petzold, B. Rama, N. M. Weyer (eds.)].

中川毅『人類と気候の10万年史——過去に何が起きたのか、これから何が起こるのか』講談社ブルーバックス、２０１７年
Stommel, Henry, "The Circulation of the Abyss", in: *Scientific American*, vol. 199, no. 1 (July 1958, pp. 85–93)
United Nations, Provisional verbatim record of the 72nd meeting, held at Headquarters, New York, on Wednesday, 7 December 1988: General Assembly, 43rd session.
米本昌平『地球環境問題とは何か』岩波新書、１９９４年
Weart, Spencer R., "The Public and Climate Change", in: *The Discovery of Global Warming* (https://history.aip.org/climate/pdf/Public.pdf), 2020.（スペンサー・R・ワート『温暖化の〈発見〉とは何か』増田耕一・熊井ひろ美訳、みすず書房、２００５年）

世界の輪郭線「World View Atlas」

世界は、現在、東西冷戦のような明確な境界線はなく、多くの陣営が独自性を競うような多極化が進行しているのでもない。

しかもたとえ見かけ上、対立が生じても、対立のさなかにおいて経済も情報も相互に深く浸透しており、人、物、資金、情報のグローバル化においても、ただ規模が拡張するように進行しているのではない。

そうした場面では地球儀に線を引くような地理的配置ではなく、むしろ位相学的な事象の配置の分析が必要とされる。

用語集

そこで変化の兆しや動きの起きそうな主要な事柄を取り出し、並置してみると、世界の蠢きの場所と在処を、感触として掴むことができる。わずかな動きから予想外の展開が生まれることはしばしばあり、その延長上に思わぬ輪郭線が出現することもある。

それは世界が軋みながら推移する不透明な動向であったり、時として衰退のなかを持ちこたえようとする予兆の姿なのかもしれない。

多くの可能性を含みながら「世界という蠢き」のきっかけとなりうる18の事象を取り出してみる。

河本英夫

一帯一路（ドリーム・シルクロード）

一帯一路とは、２０１４年11月10日に中華人民共和国北京市で開催されたアジア太平洋経済協力首脳会議で、習近平総書記（当時）が提唱した「広域経済圏構想」のことで、中国からユーラシア大陸を経由してヨーロッパにつながる陸路の「シルクロード経済ベルト」（一帯）と、中国沿岸部から東南アジア、南アジア、アラビア半島、アフリカ東岸を結ぶ海路の「21世紀海上シルクロード」（一路）の２つの地域から成る。この構想は、これらの地域に道路や港湾、発電所、パイプライン、通信設備などインフラ投資をはじめとして、金融、製造、電子商取引、貿易、テクノロジーなど、各種アウトバウンド投資を積極的に進め、広域経済圏における産業活性化と高度化を図っていく投資プログラムのことである。

李克強首相は沿線国に支持を呼び掛け、１００を超える国と地域から支持あるいは協力協定を得たが、Ｇ７は閣僚級、次官級を出席させて、首脳のほとんどは欠席し、出席したのはイタリアの首相だけとなった。後にイタリアのジュゼッペ・コンテ政権はＧ７で初めて一帯一路に関する覚書を中国と締結している。

この経済圏構想をささえる公的資金機構が、中国が運営権をもつＡＩＩＢ（アジアインフラ投資銀行）である。かりにこの銀行で債権が発行されても、Ｇ７の多くが参加していないために、信用度が低く、必然的に金利が高くなり、その利息は投資を受ける側に付け回されることになる。またインフラ投資が各地域の実情に適合的ではなく、持続的な経済発展のための投資というよりは、中国国内で行われている固定資産投資をモデルにして、海外でも同じような投資を行う仕組みであり、多くの地域で問題が起きている。

宇宙軍

宇宙軍は、ＳＦでは、宇宙空間を担当する軍隊の名称として使用されてきたが、宇宙開発の発展により、アメリカ合衆国の宇宙軍（United States Space Force）のように、実際に「宇宙軍」の名称をつける国もある。歴史的には弾道ミサイルの早期警戒や、人工衛星管制局から発展して組織された軍隊であるため、実際には迎撃ミサイルを運用する部隊、人工衛星を運用する部隊などを統合した組織であり、おもな任務は、監視衛星の運用や、大陸間弾道ミサイルの早期警戒・迎撃というミサイル防衛や衛星攻撃兵器による人工衛星の破壊等である。

１９９１年に湾岸戦争が勃発すると、衛星を利用して攻撃目標の詳細位置を特定し、ミサイル発射後はミサイルそのものがＧＰＳ衛星から誘導された。また監視衛星を利用して敵ミサイルの発射を察知し、気象衛星の情報を元に作戦が立案された。さらに戦場での部隊連携に通信衛星による連絡が用いられた。これによって戦争の仕方が、まったく変わってしまった。このため湾岸戦争は、「最初の宇宙戦争」と呼ばれている。

この戦争では、イラク軍によりＧＰＳジャミング装置６台が試験的に導入され、衛星通信を妨害することでミサイルを外させることが試みられたが、実際に稼働する前に米軍の空爆で破壊された。宇宙空間の重要性が理解されるようになると、各国とも研究するようになり、中国は衛星破壊実験を行い、北朝鮮はＧＰＳジャミング実験を行ったことが判明している。かりに情報衛星そのものが攻撃されれば、自動運転制御装置だけではなく、各国の銀行端末にまで影響が出ると言われており、日常生活に直結するような混乱が引き起こされると想定されている。

仮想現実（拡張現実）

情報ネットワークを通じて、実際の現実とは異なる現実性を作り出すようなさまざまな技術が開発された。一般的には、エキストラの現実であり、プラス・アルファの現実であるが、それぞれの個人の経験に訴え、経験の範囲を拡大していく場合があり、ときとして「ポケモンＧＯ」のように短期的な社会的現実になることがある。

ＧＡＦＡやテンセント、ファーウェイの提供する情報ネットワークを通じて、情報表現の範囲は無作為に拡大している。この場合、ネットに参加する多くの人に注目され反応してもらうように発信が行われるので、おのずと「過度の表現」が生まれやすい。そのため本来的にフェイクになる可能性を含んでいる。そこでの表現には、しばしば余分なほどの怒りや憎しみを煽り、社会の分断と対立を露骨に増大させるものも出現する。それが最も注目されやすい発信だからである。

中国ウェイボーの一時のスーパースターの一人である趙盛煒

は、３２０万人ほどのフォロアーをもち、そのつど数万の「いいね」を得ている。発信内容は、たとえば〝アメリカと戦争しても勝ち目がないので核兵器を満載した潜水艦をハワイ沖で爆発させ、チベット以外の地域は水没させる〟であったり、〝中国内陸1万メートルに核爆弾を集めて爆発させ、地球の軌道を変えて人類を消滅させる〟というたぐいのものである。これらは孫悟空を超えたファンタジーであるが、中国社会の緊迫感と釣り合うことで現実性を獲得しており、日常の余白に書き込まれたイメージ像である。このタイプのスターは長持ちするはずもなく、瞬く間に消えていく。

情報機器による現実性の拡張には、人間の感覚知覚能力を補うようなものもある。古典的名画をレーザー光で分析する場合には、眼で見ても明らかにならない現実が浮かび上がってくる。たとえばダ・ヴィンチの絵には下絵がなく、下絵に合わせて色を付けるというような画き方ではない。また絵筆の跡がない。指の指紋はいくつか出てくる。絵筆の跡がないのであればいったいどうやって絵を描いたのだろう。当然、絵筆で描いたはずだが、跡が残らないように描いたのである。色は12層になっている。つまり薄い色を付けてそれを何層も重ね、最後に副産物として形がくっきりと出てくるように描いたことになる。形とは末端の結果であり、人間の感覚知覚はそれを本質だとみなしてしまう。こうやってできた絵が、今にも表情の動きそうなモナリザの顔であったり、陰影の度合いがまるで微分のようになだらかに変化していく衣服の折りたたまれた起伏であったりする。だがこれらは見えない原子・分子を設定し、たとえばタンパク質の３次元構造を解明していく科学技術の技能に本来含まれていたものでもある。

ダ・ヴィンチの制作回路は、新たな現実を制作し、それを実質的な作品として提示する仕組みの一つを示してもいる。それは目的や目標はいつも副産物であり、むしろ内部に選択肢を含むプロセスの途上に居続けるような経験の仕方である。このとき経験はいつも「踊り場」にいて、新たな階段を探し出そうとしているのである。

公共性

個人と国家（政府機関）・地方行政機関との間には、多くの公共的な組織がある。各種ＮＰＯや、国際的活動機関ＮＧＯのように、営利を目的とする株式会社とは異なる活動体や、

「国境なき医師団」のような、国境を超えて移動しながら医療支援を行う組織がある。また台風や地震による災害が起きた場合には、現地でボランティア組織が立ち上がり、支援を行っている。

自助（個人）・共助・公助（国家）と分類される場合の「共助の仕組み」は、多くのネットワークとして形成されている。これらは「新たな公共」として、国の決定を行う国家的な思想動向とも、個人の創意工夫から成る活動とも異なるレベルで、現在の社会的現実性を支えている。アメリカ国民の多くが、地域の複数のNPOに参加し、たとえば週に2回、夕方から病院や介護施設でのボランティア活動を行い、それぞれ固有の人間関係を作っている。これらは毎日の生活のなかに「ボランティア活動」が組み込まれた「新たな公共性」の仕組みであるため、必要が生じれば選挙のさいの応援活動に切り替わったりもする。

公共性の新たな動向は、インターネットを通じても形成されている。インターネットはボランティア活動での不特定の呼び掛けにふさわしいツールであり、未知の人たちが新たな関係を形成する「活動の場」ともなっている。渋谷の「ハロウィーン」への参加呼びかけのように、自発的に出現するイヴェントを形成することもある。ただしインターネットは、それ自体は情報であるため、そこから何かへの実行につながらなければ、多くの場合、眼の前を通り過ぎていくただのゴミ情報である。この情報の数は、飽和状態に近いほど充満している。

そのため多くの派生的な誤解が生まれてもきた。たとえば生きづらさを感じているものが、思い余って「死にたい」と発信すれば、「自分も同じだから話をしよう」という往信がある。新たな話し相手が見つかることもあれば、「死にたい」という発信を自分の利益に転換する詐欺まがいの行為につながることもあり、場合によっては「委託殺人」につながることもある。インターネット情報は、それ単独では意味を確定できない媒体であり、内実の不確定さが大きすぎる。このなかで、「現実性」も「生」も「行為」も不確定さに巻き込まれ、実質性が軽くなりすぎるのである。

こんなときには選択肢が狭く設定されすぎている。相談回路はインターネット以外にも広く開かれており、悩み相談から、地域や専門のスタッフのいる相談窓口もある。それらを通じて新たな人間関係が形成されることもある。そうした多くの回路こそ、新たな公共性が提供するものであり、そこから国家や個の関係を再度リセットする回路を開くことができる。

グローバル化

グローバル化とは、社会的あるいは経済的な関連が、国家や地域などの境界を越えて、地球規模に拡大してさまざまな変化を引き起こす現象である。人、物、資金、情報の移動が自由となり、共通の場所では「プラットフォーム」が形成される。情報でみれば、たとえばグーグルのようなプラットフォームを起点として、世界中の情報ネットワークが点と線でつながっていく。そのためプラットフォームは、もはや象徴的な巨大な建物のようなものではなく、多くの人が集まる記念碑や礼拝地のようなものである必要はない。

経済的には、資本と人と先端技術とサービスの移動が自由となり、経済発展の局面が変わってしまった。通貨のプラットフォームは、現在でも「米ドル」であり、世界の基軸通貨であり続けている。

プラットフォーム形成のモードは、一つではない。経済支援の仕方でみても、各国、地域の実情に照らして、その国の持続的な発展に寄与するように経済支援を行う場合には、長期的な投資とそれぞれに固有の発展モデルの設定が必要となる。ところが自国で行っている投資戦略を、そのまま国境を越えて他国や他地域に持ち込み、自国の制御範囲を外国に拡大していくような場合には、最初からグローバル化そのものが定型パターンとなり、行き詰まることが多い。この場合には点と線を複合的に形成するプラットフォームではなく、ゾーンを制圧するような「ゾーン・プラットフォーム」の形成となる。このモードは中国によるグローバル化にしばしばみられる。中国の形成するプラットフォームは、相手と関わるさいに、情報、契約、実行のあらゆる面でそのつど非対称性を作り出し、中国の利益になるように組み立てられることが多い。ここでは公正や互恵の意味さえ別のモードとなる。

グローバル化は、各地域、各国の固有性が同時に形成されるように組み立てられることが望ましい。全体的な共通化は、共通化への適合、不適合を通じて経済的、政治的格差を広げるという面をあわせもつのだから、それぞれの固有性をどのように維持し、形成し続けるかが同時に課題となる。

グローバル・マグニツキー法

ロシアの弁護士セルゲイ・マグニツキーはロシアでの法執行機関と税務当局を舞台にした2億３０００万ドル（当時のレートで約２５６億円）もの巨額横領事件を告発し、その後、監禁虐待を受け、２００９年に獄死した。これに関与したロシアの高官を罰するために、アメリカで２０１２年に制定された人権擁護法が、マグニツキー法である。アメリカの法であるから、対象者を刑事罰に問うことはできないが、ビザの発給停止やアメリカの関与する金融機関での資産凍結を行うことができる。この法は一般化されて、「グローバル・マグニツキー人権問責法」（Global Magnitsky Human Rights Accountability Act）として新たに採用され、２０１７年12月21日より施行されている。同様の法がEU、カナダ、英国、オーストラリアその他多くの欧州諸国で採用された。２０２０年7月、英国で、北朝鮮とロシアの49の個人、組織に対してグローバル・マグニツキー法が発動されている。

中国のウイグル民族への弾圧に関与したとして、中国共産党中央政治局委員であり、同自治区の党委員会書記でもある陳全国氏のほか、同自治区の現・元公安部ら計４人を対象に、「ウイグル人権法案」が２０２０年5月にアメリカ下院で可決された。この法案はグローバル・マグニツキー法をモデルとしている。ウイグル人の強制労働を含むかたちで作られた製品を排除するだけではなく、そうした製品を作る企業とは、アメリカは取引を禁じるということになった。中国11社がリストに上がり、ウイグル人を使った部品生産で作られた部品を使っている中国内の日本企業も対象となる。人権侵害に対して、広く網をかけることのできる法であり、細部でさまざまな変更をかけながら設定される法である。

経済安全保障

経済の最先端技術が軍事転用可能だとして、東芝グループの一つである東芝機械が、かつて高度な製造機械を当時のソビエトに輸出し、ココムの規制にひっかかり制裁されたことがある。実際にこの機械は、潜水艦製造に使われていた。２０１９年6月に日本政府は、韓国に対して3品目の輸出管理強化を行った。これらの物質が韓国に輸出された後に、イランや北朝鮮に再輸出され、大量破壊兵器に転用される恐れが出てきたからである。先端技術は、わずかの変更をかければ軍事転用可能なものがある。そのため経済取引を同時に安全保障の問題としても考えなければならなくなっている。

オーストラリアのモリソン首相が、新型コロナウイルス拡散の初期状態について、第三者委員会を設置して調査する必要があると公的に述べたとき、中国はただちにオーストラリアから輸入していた大麦に80パーセントの関税をかけ、牛肉を輸入停止にした。政治的姿勢に経済報復を使うもので、中国の常套手段でもある。しかもこうした対応は見え透いているが、中国からすれば一種の「見せしめ」であるから、見え透いていたほうがよいのである。経済を政治的圧力として活用する「なんでもありの戦術」（戦狼）である。

情報技術は、活用の仕方によっては「スパイ技術」としても活用できる。中国共産党の党則では、党の要求する情報を各企業は提出しなければならない（「国家情報法」第7条）。一般にはネットワーク情報から各企業、組織、製品の機密情報を抜き取ることができ、気づかれなければ、企業倒産にいたるまで情報を盗み続けることができる。実際、カナダのノーテル社は人民解放軍サイバー部隊によって情報を抜き取られ、倒産している。

一般に中国の通商法関連の法のなかには、通商法だけではなく、国家や政権の安定を脅かすものは違法であると書き込まれているものが多い。法のレベルですでに経済が安全保障と一体となって制定されている。

現代貨幣理論ＭＭＴ

貨幣そのものの特殊性に立脚した貨幣理論で、ニューヨーク州立大学のステファニー・ケルトン教授らが主張するこの現代貨幣理論は、貨幣を「負債」だとする考えであり、それらを受容し継承する日本の論者たちは、「天動説から地動説への転換」だと過度に形容している。貨幣を負債だと考えることは、非破産主体である政府と中央銀行の特殊性に由来する。貨幣を負債とする理由は、売買のような対価とは異なる仕組みで貨幣は発行されることを論拠にしている。借り出しによってはじめて貨幣が出現する。借り手が無ければ貨幣は出現せず、この借り出しが返済されれば、実際には貨幣は消滅する。貨幣の出現の条件からみて、貨幣は負債だと考えるよりない。何によっても保証されず、しかも汎用的な使用可能性のある負債が貨幣であることになる。使用可能性でみれば、デパートや近所の商店街の商品券でも局所での使用可能性をもつが、貨幣の特異さは「納税」にも活用できるところにある。

この理論は、日本では数十年、経済システムが苦しめられてきた「デフレ」に対して有効な提言になっているかどうかにかかっている。インフレに対しては、金利を上げて過剰流動性を抑え込み、経済を冷やせばよい。それに対して、デフレに対しては供給貨幣量を増やし、市場に出回る資金を増やせばデフレは解消されるというのが、通常の需要―供給に照らした理論である。需要―供給でみて、インフレ対応の逆回しの手立てをとればデフレが克服できるかといえば、実際にはそうならなかった。実質金利をゼロ近くに誘導しても、借り手がなく貨幣が出現していないのである。

この信用貨幣論の論者たちが、ここで持ち出すのが、政府支出を増やすことである。いわゆる財政出動である。政府の借金を膨らませて、それを国内事業に振り向ければ、財が民間に移されることになり、需要不足に対応することができる。しかも政府借金は、民間企業や個人の債務とは性格が異なり、よほどのことがない限り、デフォルトに陥ることがない。この理由は、独自の不換通貨をもち、公的債務（国債）の大半が自国通貨建てで、かつ為替が変動相場制をとる主権国家（つまり米国、英国や日本）は、決して財政破綻しない、という理屈である。だがこれは見かけ上、意図せず社会主義者の金融政策に似てきてしまう。財政出動された資金が、次々と展開され、資金の循環が起きることが重要であるにもかかわらず、その部分は、既存の経済理論に依拠している。

サイバーセキュリティ

サイバーセキュリティは、現状では際限のない課題になりつつある。セキュリティを強めても、ほとんどの場合、さらに突破される。かりに原理的に突破されないセキュリティが開発された場合、そのセキュリティによって守られたものには、アクセスできなくなる。その内容が使えなくなるのである。守られるものにアクセス可能な状態でセキュリティがかかっていれば、そのセキュリティは基本的には突破できる。極端な言い方をすれば、突破できるからセキュリティなのである。

サイバー攻撃は、多くの領域で行われるようになり、またレベルも精密になった。相手側に莫大な情報を送り込み、電子オンラインの攪乱をもたらすようなやり方は、現在でも企業の生産ラインを混乱させたり、電子決済を一時的に不可能にしている。だがこれが新幹線の中枢制御系や原発の自動制御系にまで及べば、巨大なリスクとなる。軍事的には、無人偵察機やミサイルの誘導装置のプログラムの一部を書き換えて、ミサイルが自国内に落ちたり、パキスタン上空の米軍偵察機がイランに強制的に着陸させられたりしている。

また電子通貨（仮想通貨）を他の口座に移し込み、他の電子通貨（仮想通貨）に変換することで、もはや資金の行き先を追跡できなくなるような犯罪行為も行われている。しばしば北朝鮮軍のサイバー部隊が疑われている。

サイバー領域は2011年以降、アメリカの安全保障において、陸・海・空・宇宙に次ぐ第5の領域とみなされており、日本においても2013年の「国家安全保障戦略」でサイバー空間への防衛が国家戦略に盛り込まれた。サイバー空間の問題は、すでに技術的観点のみならず、国際政治、市場権益（国際公共財）、知的財産、安全保障、軍事作戦、国の危機管理体制などの各分野に跨る多面的な問題となっている。

里山資本主義

経済学者藻谷浩介とNHK広島取材班の共著による著書での造語であり、そこでは地域経済モデルの設定が行われている。マネー資本主義に対置されるかたちで、里山のような身近なところから水や食料、燃料を手に入れ続けられるネットワークを用意しておこうというエコロジカルな思想である。より多く生産し、より多く消費する経済成長とは、別の仕組みの経済圏を用意しておくという設定であり、日本社会が抱える地域の過疎化、少子化と急激な高齢化という問題を克服する可能性も秘めているとされる。

日本の場合、中央から地方へと補助金が降ろされ、中央のミニチュアが地方で実行されていく仕組みとなってきた。ところが人口減少の進む地方では、経済成長という発想では、選択肢が少なすぎるのである。藻谷浩介は「普通に真面目で根気のある人が、手を抜きながら生きていける社会が、里山にはある。里山の暮らし方は世界に通用する」と述べている。里山資本主義でみられる資本の原理を「安心の原理」だとする。

日本で繰り返し議論になる「地方創生」のモデルの一つであり、地方には地方の豊かさの指標と現実の経済システムの成立があるという発想である。そこにはバイオマスによる小規模発電や耕作放棄地の利用等が含まれる。

性的少数者

なんらかの意味で「性」のあり方が多数派と異なる人たちのことであり、一般的には同性愛者、両性愛者、トランスジェンダー（性同一性障害の当事者を含む）などが含まれる。少し強調点をずらして、ＬＧＢＴと呼ばれることもあるが、この語はレズビアン、ゲイ、バイセクシュアル、トランスジェンダーの4単語の頭文字を取った造語である。中国最大のＬＧＢＴ向け社交アプリBlued（ブルード）を運営する藍城兄弟ホールディングスは、２０２０年7月8日、アメリカの店頭市場であるナスダックに上場し、初日に総額１００億円ほどの初値が付いた。このアプリの会員は上場時４５０万人ほどであり、いずれ６００万人ほどの会員を獲得できるという見込みが述べられている。会員のすべてがＬＧＢＴだとは考えにくいが、統計値をとれば、「少数者」と呼ばれるような小さな数字ではない。この数字よりも少数の民族は、地球上にかなりある。

国連人権高等弁務官事務所は、２０１１年11月17日付けで報告書を作成し、ＬＧＢＴを「少数者」「マイノリティ」「弱者」として社会的に排除することなく、他の人間と同様に尊厳や権利を保障され、社会的に受容される正当性と必要性があるということを述べている。

少数者の人権を考えると、近代の価値基準である「平等」が簡単に実現できない価値規範であることに改めて気づかされる。ＬＧＢＴも同じ人間であり、差別されるべきではないという形式的主張はそれとして成立しても、実質的な平等は簡単には実現できない。多くの人にとっては、その人たちにどう関われば平等に関わったことになるかが分からないからである。またＬＧＢＴの人が、本人自身で「自分はＬＧＢＴなので、正当に人権を認められるべきだ」と宣言し、自己主張した場合、どこか折り合いの悪さが残る印象がある。平等とは、個々の問題でそのつど最善の在り方を模索する課題のことであり、あらかじめ保証されるべき形式的「基準」だとは考えにくい。

超限戦

人民解放軍国防大学元教授である喬良が明確に定式化した新たな「戦争」のモードで、もはや軍人が行うものではなく、軍事、経済、文化などをすべて総合的に利用する戦い方である。「あらゆるものが手段となり、あらゆるところに情報が伝わり、あらゆるところが戦場になりうる。すべての兵器と技術が組み合わされ、戦争と非戦争、軍事と非軍事というまったく別の世界の間に横たわっていたすべての境界が打ち破られるのだ」（喬良・王湘穂『超限戦――21世紀の「新しい戦争」』坂井臣之助監修、劉琦訳、角川新書、2020年）と言われている。中国のいつもの言語表現で、本音の一歩先を誇大に語るという定式化の仕方である。

2014年にはロシアの新軍事ドクトリンに「超限戦」に近い戦争の概念が盛り込まれ、欧米諸国はこれを「ハイブリッド戦」と呼んだ。この頃から、世界は否応なしに超限戦／ハイブリッド戦の時代に突入した。近年のフェイクニュースやネット世論操作も超限戦やハイブリッド戦の一つだと考えることができる。情報面でみれば、表向きのプロパガンダと裏側での諜報活動が、アリの巣にまで及ぶほどの詳細さで展開されている。そのためごく普通の社会人が、スマホ情報をただ面白がっていても、場合によっては意図せずこうした戦争に参加させられているという事態も起こる。

地政学

国家や地域は、地球規模の地理的制約を免れない。地理的条件を組み込むことは、経済でも安全保障でも、有効な視点を獲得することにつながる。たとえば日本やイギリスやオーストラリアは基本的に海洋国家であり、中国やドイツやフランスや中央アジア各国は内陸国家である。アメリカは両面をもっているが、世界地図の配置からみれば、基本線は海洋国家である。

海洋国家は、物品の運搬にコストがかかり、防衛コストは相対的に低く抑えられるので、内需経済が成立しやすい。個々の地域の近隣で、固有のまとまりを形成しやすく、隣接経済圏を形成しやすい。ところが内陸国家は、国境じたいが危うく、たとえばメコン川のような国際河川の活用では、一国の利益という事態がそもそも成立しない。そのため頻繁に国際紛争を起こしながら、国家経済の展開を考えざるをえない。そもそもの振る舞い方のモードに地理的条件が入り込んでおり、それを勘案しながら国家戦略が設定される。

防衛だけではなく、資源という面でも発想に違いが出る。たとえば中国のチベット自治区には、アジアの水の源流が多くある。インダス川、ガンジス川、揚子江、黄河、メコン川のようなアジアの主要な河川の源流となっている。中国の前首相である温家宝は、「水不足は中国の生死を分かつ」と言い、インダス川、サルウィーン川、プラマプトラ川等の上流に、約7000ものダムを建設してしまった。上流を抑え込むという中国の原理がここでも発揮されて、上流を管理したものが川を制圧するという発想である。そして下流域、とりわけインドでは水不足が起きている。

デカップリング

アメリカのトランプ政権（当時）は、2020年6月以降、中国との経済関係の切り離し（デカップリング）に繰り返し言及しており、その意向はさまざまな提言や法案のかたちで進められている。一般的に密接に連動していると思われるものを切り離していく作業が、デカップリングである。アメリカと中国との経済関係は、すでに密接に連動しており、たとえばワシントンのホワイトハウス前に掲揚されているアメリカ国旗（星条旗）の多くは中国製であり、大統領選挙用のポスターや旗も、民主・共和両党陣営とも中国製を使っている。経済関係を完全に切り離すことは不可能であり、そうしたことを行えば、莫大な無駄なコストがかかる。

現実に行われていることは、生産供給ラインを複数化して、一方的な中国への依存関係を解消することである。たとえば台湾の半導体製造企業TSMCの工場をアメリカに建設し、生産ラインのネットワークをアメリカ本土でも作り上げ、アメリカでの雇用を回復させる。また中国共産党が直接関与する企業体（国営企業）との経済関係を断ち切り、サプライチェーンを変更することである。

中国企業内部には党委員会が常設され、中国共産党は製造ラインの制御だけではなく、そうした企業を活用して政治的影響力を行使している。アメリカは、それを断ち切り、ネットワークを切り換えようとしている。これによって実行されようとしているのは、中国共産党と中国国民を分離することであり、それはとりもなおさず「中国」そのものを再定義することでもある。デカップリングとは、連鎖するラインを切り換え、システムの境界を切り換えることで、事物を再定義することである。

こうした動きに対して、中国側の反応には、脅しや透かしを籠めた攻撃的対応（戦狼）がしばしば繰り出される。だがこうした対応こそ、中国側が自分で「デカップリング」を補強していることになる。

デジタル通貨

デジタル通貨は、デジタルデータに変換された「通貨」として、支払いのために利用可能なものの総称であり、多くの支払いに活用される各種カード類や仮想通貨が含まれる。電車に乗るさいに使用されるSuicaやPASMOも支払いに使える以上、通貨である。現金払いの場合には、10円単位で運賃が計上されているが、デジタル通貨では一円単位の運賃になっており、年間総額ではかなりの違いがでる。近所の商店街のクーポン券も、利用範囲の狭い通貨であるが、デジタル化されてはいない。こうした通貨は、いずれも日本の国家通貨である円とつながっており、円の支払いのかたちが、紙幣からデジタルデータに置き換わっている。

これに対してビットコインをはじめとする「仮想通貨」（暗号通貨）は、国家の支えが一切なく、支払いを引き受けてくれるところでのみ、信用で支払うことができる通貨である。ただし発行が一定量以下に制限されているため、希少価値を巡って売買が行われることがある。そうなれば通貨といっても、美術品や骨董品のように市場で評価されて取り引きされる物品と類似したものである。仮想通貨は、そのため金融の機能をもたせることができない。金融商品には金利が付くが、通貨機能だけであれば信用をもとにした支払いに使えるだけである。

さらに国家通貨をデジタル化しようというさまざまな企画が出されている。ことに中国で構想されている「デジタル人民元」は、国際決済に活用しようとする試みであり、国際金融市場でのドル覇権に対抗する企てでもある。ただしデジタル決済には、抜け道が多く、セキュリティが十全にかからない。そこで使われるのが、ブロックチェーンという取引記録法である。ブロックチェーンは、いくつかの通貨の取引情報をブロックごとにまとめて暗号化し、そのブロックを鎖のようにつなげていく技術であり、ブロックチェーンでの記録の改竄が難しいので、通貨の信頼性を担保できると言われている。改竄のためには莫大な時間とコストがかかり、経済的に見合わないという理由付けになっている。デジタル通貨だけが、主要な取引通貨になる可能性はあまり大きくない。いくつかの通貨が緊急時のリスクをヘッジするかたちで、支払いツールとなるような仕方で、通貨の複数化が当面の課題となると予想される。

パリ協定

パリ協定は、２０１５年12月にフランス・パリで開催されたＣＯＰ21（国連気候変動枠組条約第21回締約国会議）で、世界約２００か国が合意して成立した。これは１９９７年に定まった「京都議定書」の後を継ぎ、国際社会全体で温暖化対策を進めていくための基礎となる条約であり、世界の平均気温上昇を産業革命前と比較して、2℃より低く抑え、１.５℃に抑える努力を追求することを目標としている。

温暖化対策は、ながらく先進国と途上国の利害のぶつかる場所であった。先進国は、課題そのものが全地球的規模に及ぶために、途上国も同じように協力すべきだとする議論を展開し、途上国は、そもそも温暖化問題は先に経済発展を遂げた先進国が引き起こした問題であり、そのツケを回されることは筋の通らないことだという主張だった。

そこでマクロな目標を設定して、国連加盟国に機械的に割り振るのではなく、それぞれの国が目標を設定し、5年ごとにその目標をクリアしたかどうかを公的な場で吟味、検討する仕組みにした。各国は目標に到達できなくても罰則はないが、レビューによる評価を受ける。これによって各国の努力の内実を相互に評価できるようになる。現状では各国に差があり、すべての目標値を総合しても、2℃以内に抑える数値には至っていない。そこで5年ごとに目標値をさらに更新して、努力目標をリセットし続ける仕組みが取り入れられている。

二酸化炭素濃度削減については、一つの国が総体として取り組むべき問題と、個々の都市が固有に取り組まねばならない課題とに、本来分かれるはずである。同じ国のなかでも、過疎地と人口密集地では、取り組むべき課題が異なってくる。そうなるとこの協定の参加当事者は、国家だけではなく、それぞれのマンモス都市も固有に関与する仕組みも必要となる。

パンデミック

パンデミック（pandemic）は、ある感染症の世界的な大流行を表すものであり、規模に応じて、エンデミック（狭い地域での散発的拡散）、エピデミック（ある地域での集団感染で集団全域に拡散する）の次の局面の感染症である。国境や大陸を超え、世界に蔓延する流行病のレベルである。ヒトの世界でパンデミックを引き起こした感染症には、過去に天然痘、ポリオ、麻疹、風疹、インフルエンザ、ＡＩＳＤなどのようなウイルス感染症、ペスト、梅毒、コレラ、結核、発疹チフスなどの細菌感染症、原虫感染症であるマラリアなど、さまざまな病原体によるものがある。

今回のＣＯＶＩＤ‐19によるパンデミックはコロナ型のウイルスによるものであり、ＲＮＡを骨格としたウイルスであるため、比較的変異速度が速く、いくつかの不可思議な特性がみつかっている。感染者の一定比率は、無症状感染者であり、周囲のものを感染させる感染者も一定割合に留まっている。感染力は高いとは言えない。無症状感染者がいる一方で、重度の障害を起こし、死に至るものも多い。ある意味で症状の出方に、両極化の傾向がみられる。

特効薬もワクチンもない状態では、自分自身で感染しないようにし、周囲を感染させないようにする手立てしかない。治療法は少しずつ確立してきているが、万能性の治療法はなく、重症者の比率を下げていくしかない。このコロナウイルスは、過度に人間生活に抑制をかけなければ、極端に拡散する。そのため経済活動は抑えられて社会内の格差は拡大し、ごく普通の散歩さえ自由にできなくなる。ウイルス感染者の頻度は、ブラジルでみられるように抵所得者地域で高く、シンガポールで起きたように外国人労働者居住区でも高い。ウイルス制御のための公的支援にも格差が出てくる。また経済活動が抑制されれば、非正規雇用から影響が出る。かりにコロナウイルスとの共存を謳っても、さまざまな点で人間社会に比較的大きなストレスをかけている。個々人の業務の仕方や、生活形態にも変化をもたらしている。感染の収まる時期や終息のみえた時期には、この社会的ストレスの裏返しによって、相応の社会変動が起きる可能性もある。

ＳＤＧｓ

ＳＤＧｓとは「Sustainable Development Goals（持続可能な開発目標）」の略称であり、エス・ディー・ジーズと発音する。これは世界全体で目指すべき目標を設定したもので、２０１５年９月の国連サミットで採択された。国連加盟１９３か国が、２０１６年から２０３０年の15年間で、持続可能でよりよい世界を目指すために、達成することを方向付けた目標である。この提言は17のゴール、１６９のターゲットから構成され、地球上で「誰一人取り残さない」ことを誓っている。

内容は極めて多岐にわたり、極度の貧困の撲滅（第１目標）、食料の安定確保と栄養状態の改善とともに、持続可能な農業の推進（第２目標）、健康的な生活を確保し、福祉を推進する、とりわけ医療の普及によって、幼児死亡率、妊婦死亡率を一定基準以下に下げることが必要となる（第３目標）。さらに公正で質の高い初等教育および中等教育をはじめとする教育機会の提供（第４目標）、ジェンダーの平等（第５目標）、安全な水とトイレの提供（第６目標）、安価かつ信頼できる現代的エネルギーサービスへの普遍的アクセス機会の確保（第７目標）が取り上げられる。

以下さまざまな目標が続くが、経済活動と同時に並行して配慮されるべき課題が設定されている。

目標設定として明確であり、視野も広い。だがいずれも一国単位での解決は難しく、国連による実効性のある計画も容易ではない課題も含まれている。また優先順位を付けたときに、両立させることが容易でないものも含まれている。たとえば経済的な貧困の解消と、良質の生活環境を整えることは、容易には両立しない。各地域、各経済単位での工程表のようなものが必要とされる。

あとがき

世界の現実は、圧倒的な多様化と現実性の分岐のなかで、日々推移し続けている。こうした事態を捉えるためにどのようにしたらよいのかという課題を設定すると、ただちに多すぎる課題に巻き込まれ、終わりのみえない「試行錯誤」が待ち構えていることが分かる。そうした作業を行うために、単に哲学的な論証を持ち出したのでは、ただちに限界に当たってしまう。

そうした場面での選択の一つのモデルケースが、ミシェル・フーコーの手掛けたような「歴史研究」である。膨大な文献のなかから、同時代に意図せず繰り返し使われてしまうような「語」を見出し、そこから現実性そのものを規定するようなコードを見出したり、コードが別様に転用されるさまを、現実性の動きとして浮かび上がらせるという手法である。こうしたやり方は、歴史研究のみならず、広範に同時代のなかに潜むコードをそれとして取り出し、明示化していくさいにも応用することができる。

コードは、一般に現実に輪郭を与え、多くの場合、明確な境界線を与えてくれる。とりわけ二分法コード（バイナリーコード）は、現実性／非現実性、正当性／非正当性、真／偽を区分することを通じて、現実性そのものの輪郭を定めていく。だが世界の現在では、いたるところでコードが解除され、無効となり、そのつど新たな現実性の捉え方が必要とされるように思われる。こうした場面では、それぞれの事象領域ごとに、どのようなやり方が個々の事象に相応しいのかを勘案しながら進んでみるしかないのが実情である。

本書は、新型コロナ禍のなかの作業であったためか、「生」に関わるテーマが多くなった。ごく身近で起きる難題を抱えながらの作業となったため、いくぶんかやむをえない面がある。それでも多くの事柄に触れることはできていると感じている。

なお本書は、２０２０年度東洋大学重点研究推進プログラムの助成を受けて行われた企画である。

末尾ながら、学芸みらい社の小島直人氏には、編集の最初の段階から相談に乗っていただき、成書へと至る細部のこまごまとした作業を一手に引き受けてやっていただいた。衷心より、感謝したい。

２０２１年３月　　河本英夫

河本英夫　かわもと・ひでお（＊）
1953年生まれ。東京大学大学院理学系研究科博士課程単位取得退学（1982年）。博士（学術）。東洋大学文学部哲学科教授。著書に『哲学の練習問題』（講談社学術文庫、2018年）、『経験をリセットする——理論哲学から行為哲学へ』（青土社、2017年）など。

信原幸弘　のぶはら・ゆきひろ
1954年生まれ。東京大学大学院理学系研究科博士課程単位取得退学（1983年）。博士（学術）。東京大学名誉教授。著書に『心の現代哲学』（勁草書房、1999年）、『情動の哲学入門——価値・道徳・生きる意味』（同、2017年）など。

三重野清顕　みえの・きよあき
1977年生まれ。東京大学大学院人文社会系研究科博士後期課程単位取得退学（2009年）。博士（文学）。東洋大学文学部哲学科教授。主要論文に「カテゴリーとは何であるか、いかにして導出されるのか——カテゴリー論としてのヘーゲル論理学」（日本ヘーゲル学会編集委員会編『ヘーゲル哲学研究』第26号、こぶし書房、2020年）、「イェナ期フィヒテの「衝動」概念のその後の展開——ヘーゲル哲学の形成史との関連において」（フィヒテ研究編集委員会編『フィヒテ研究』第27号、2019年）など。

岩崎　大　いわさき・だい
1983年生まれ。東洋大学大学院文学研究科哲学専攻博士後期課程修了。博士（文学）。東洋大学文学部哲学科非常勤講師。著書に『死生学——死の隠蔽から自己確信へ』（春風社、2015年）、共編著に『自然といのちの尊さについて考える——エコ・フィロソフィとサステイナビリティ学の展開』（ノンブル社）など。

小松美彦　こまつ・よしひこ
1955年生まれ。東京大学大学院理学系研究科博士課程単位取得退学（1989年）。博士（学術）。東京大学大学院人文社会系研究科教授。著書に『生権力の歴史——脳死・尊厳死・人間の尊厳をめぐって』（青土社、2012年）、『増補決定版 「自己決定権」という罠——ナチスから新型コロナ感染症まで』（現代書館、2020年）など。

稲垣 諭　いながき・さとし（*）
1974年生まれ。東洋大学大学院文学研究科哲学専攻博士後期課程修了（2006年）、博士（文学）。東洋大学文学部哲学科教授。著書に『大丈夫、死ぬには及ばない——今、大学生に何が起きているのか』（学芸みらい社、2015年）、『壊れながら立ち上がり続ける——個の変容の哲学』（青土社、2018年）など。

廣瀬浩司　ひろせ・こうじ
1963年生まれ。東京大学院総合文化研究科中退（1993年）。パリ第一大学博士（哲学）（1994年）。筑波大学人文社会系教授。著書に『後期フーコー——権力から主体へ』（青土社、2011年）、『デリダ——きたるべき痕跡の記憶』（白水社、2006年）など。

小山 裕　こやま・ゆたか
1980年生まれ。東京大学大学院人文社会系研究科社会学専門分野博士課程修了（2012年）。博士（社会学）。東洋大学社会学部准教授。著書に『市民的自由主義の復権——シュミットからルーマンへ』（勁草書房、2015年）、主要論文にRepeated Reinterpretation of Civil Society, International Journal of Japanese Sociology 27(1): 107-19.など。

野村智清　のむら・ともきよ
1975年生まれ。東京大学大学院人文社会系研究科基礎文化研究選考単位取得退学（2015年）。博士（文学）。秀明大学専任講師。主要論文に「バークリと常識」（哲学会編『哲学雑誌』第131巻第803号、2016年）、「バークリとモリニュー問題について」（日本イギリス哲学会編『イギリス哲学研究』第36号、2013年）など。

畑 一成　はた・かずなり
1982年生まれ。カイザースラウテルン工科大学哲学科博士課程修了。武蔵野美術大学非常勤講師。著書に『ゲーテ　ポイエーシス的自然学の想像力——色彩論と生成する自然の力の源泉』（学芸みらい社、2020年）、“Phantasie als Methode der poietischen Wissenschaft Goethes: Naturwissenschaft und Philosophie im Spiegel seiner Zeit”（Springer VS）など。

見えない世界を可視化する「哲学地図」

「ポスト真実」時代を読み解く10章

2021年4月15日　初版発行

編著者　河本《かわもと》英夫《ひでお》・稲垣《いながき》 諭《さとし》

発行者　小島直人

発行所　株式会社 学芸みらい社

〒162-0833 東京都新宿区箪笥町31 箪笥町SKビル3F
電話番号：03-5227-1266
FAX番号：03-5227-1267
HP：http://www.gakugeimirai.jp/
E-mail：info@gakugeimirai.jp

印刷所・製本所　藤原印刷株式会社

装　幀　芦澤泰偉

ブックデザイン　吉久隆志・古川美佐（エディプレッション）

ISBN978-4-909783-73-8 C0010

〔学芸を未来に伝える〕 学芸みらい社 好評既刊

iHuman

AI時代の有機体-人間-機械

河本英夫・稲垣諭 編著

〈シンギュラリティ〉がもたらす「未来の人間像」を、第一線の哲学・ALife研究者、アーティストが鮮やかに描きだす。

「底なしの自然知能」＋「無際限の人工知能」＋「人間知能」──。３つの知能を自在に行き来する研究と表現には、ヒトの未知なる選択肢が豊かに息づいている。生命と知能の可能性を広げる10章のレッスン。

A5判並製／256ページ　定価：本体2,200円＋税　ISBN 978-4-909783-07-3

【目次】

〔学芸を未来に伝える〕　学芸みらい社　好評既刊

ゲーテ
ポイエーシス的自然学の想像力
色彩論と生成する自然の力の源泉

畑 一成 著

A5判上製／320ページ
定価：本体5,400円＋税　ISBN 978-4-909783-51-6

人間の精神が最も活動的になる時、その溢れ出る源泉とは? カントが沈黙した地点でゲーテは語り続けた――。

芸術と科学の知られざる共通の根を「Phantasie（想像力）」と捉え、その奔放な創造性の秘密に、「啓蒙主義的理性の底」を踏み抜いて迫ったゲーテ自然学のポイエーシス的な学の構想を、色彩論を柱に読みとく。

目次

作品や理論が洗練され、完成の域に達したとき、想像力が協働していた痕跡は消されてしまう。しかし、ゲーテ的な表現でそれは「死んだ自然」と名指しされうるものである。ゲーテは、整然とした理論より、その泉をそのまま提示しようとする。それは思考能力の陰に隠れた想像力の自然な働きである。人は想像力を通じて初めて自然の真の顔を見る。自然は、そこで途方もない産出力を見せ、芸術と科学は、それに対抗するため、想像力を通じてその産出性を再現しようとする。　――「結」より